COFIWCH DRYWERYN

*Cyflwynir y gyfrol hon i bobl Capel Celyn gyda pharch ac
edmygedd diderfyn at eu dygnwch a'u hurddas.*

*This book is dedicated to the people of Capel Celyn with
boundless respect and admiration for their diligence and dignity.*

Argraffiad cyntaf: 2019
Ail argraffiad: 2020
© Hawlfraint Mari Emlyn, y cyfranwyr a'r Lolfa Cyf., 2019

Mae hawlfraint ar gynnwys y llyfr hwn ac mae'n
anghyfreithlon llungopïo neu atgynhyrchu unrhyw ran ohono trwy
unrhyw ddull ac at unrhyw bwrpas (ar wahân i adolygu) heb gytundeb
ysgrifenedig y cyhoeddwyr ymlaen llaw

Dymuna'r cyhoeddwyr gydnabod cymorth ariannol
Cyngor Llyfrau Cymru

Cynllun y clawr: Y Lolfa

Diolch i'r cyfranwyr sydd wedi rhoi caniatâd
i gyhoeddi eu lluniau a'u geiriau yn y gyfrol hon.

Rhif Llyfr Rhyngwladol: 978 1 78461 773 8

Cyhoeddwyd ac argraffwyd yng Nghymru
ar bapur o goedwigoedd cynaliadwy gan
Y Lolfa Cyf., Talybont, Ceredigion SY24 5HE
e-bost ylolfa@ylolfa.com
gwefan www.ylolfa.com
ffôn 01970 832 304
ffacs 01970 832 782

First impression: 2019
Second impression: 2020
© Mari Emlyn, the contributors & Y Lolfa Cyf., 2019

This book is subject to copyright and may not be
reproduced by any means except for review purposes
without the prior written consent of the publishers.

The publishers wish to acknowledge the support of the
Books Council of Wales

Cover design: Y Lolfa

Thanks to the contributors who have given permission
to publish their pictures and words in this book.

ISBN: 978 1 78461 773 8

Published and printed in Wales
on paper from well-maintained forests by
Y Lolfa Cyf., Talybont, Ceredigion SY24 5HE
e-mail ylolfa@ylolfa.com
website www.ylolfa.com
tel 01970 832 304
fax 832 782

COFIWCH DRYWERYN

MARI EMLYN

y_olfa

(Llun gan / Photo by Marian Delyth)

Cydnabyddiaethau

Acknowledgements

Yn gyntaf oll, diolch i chi am brynu'r llyfr. Gobeithio y bydd yma rywbeth i'ch ysbrydoli, i ddyfnhau eich dealltwriaeth o hanes Cymru ac i fynnu na fydd achos tebyg i Dryweryn fyth eto.

Diolch i bawb sydd wedi cyfrannu at y gyfrol hon, i'r bobl â chysylltiad agos â Chapel Celyn sydd wedi rhannu eu hatgofion, yn ogystal ag artistiaid graffiti heddiw a'u hedmygwyr. Diolch i'r holl gyfranwyr am roi caniatâd i ddefnyddio lluniau a straeon eu murluniau gan ymddiheuro na fedrwn gynnwys pob un.

Diolch i aelodau tudalen Facebook Cofiwch Dryweryn am eu cymorth amhrisiadwy yn ystod yr ymchwil i'r murluniau a'u hartistiaid. Diolch hefyd i Lyfrgell Genedlaethol Cymru; Archifdy Gwynedd, Dolgellau ac i Archifdy Prifysgol Bangor.

Hoffwn ddiolch yn arbennig i Dr Alison Mawhinney am ei sylwadau gwerthfawr am hawliau rhyddid mynegiant yng nghyd-destun y Gymraeg; Beryl Griffiths am fy nghyfeirio at y casgliad rhyfeddol yn Archifdy Gwynedd, Dolgellau, ac am y drafodaeth ddiddorol ar effaith seicolegol y boddi; Dafydd Rhys Lloyd am danio'r dychymyg am linyn stori arall i'w dilyn rywdro eto; Mererid Hopwood am gyfieithu'r farddoniaeth; i'r Lolfa ac i Lefi Gruffudd am gefnogi a llywio'r syniad gwreiddiol am y gyfrol hon; i Marged Tudur am ei brwdfrydedd a'i gofal; i Robat Trefor am olygu'r copi ac i Alan Thomas am y clawr. A diolch i'n hathrawon blaengar sy'n mynnu trosglwyddo hanes Cymru i'w disgyblion.

First and foremost, thank you for buying this book. I hope you will find something here to inspire you, deepen your understanding of the history of Wales, and ensure that there will never be a cause like Tryweryn again.

Thank you to everyone who has contributed to this book, the people with a special connection to Capel Celyn who share their memories here, as well as today's graffiti artists and their admirers. Thank you to all the contributors for their permission to include the photographs and stories of their murals, and apologies for not being able to include them all.

Thank you to members of Cofiwch Dryweryn Facebook page for their invaluable assistance during the research into the murals and their artists, the National Library of Wales; Gwynedd Record Office, Dolgellau and Bangor University Archives.

A special thanks to Dr Alison Mawhinney for her invaluable observations on the subject of the right to freedom of expression in relation to the Welsh language; Beryl Griffiths for referring me to the amazing collection in the Gwynedd Record Office in Dolgellau, and for the interesting discussion about the psychological effects of the drowning; Dafydd Rhys Lloyd for guiding the imagination towards another trail of this story to be pursued at a later date; Mererid Hopwood for translating the poetry; Y Lolfa and Lefi Gruffudd for supporting and channelling the original idea for this book; Marged Tudur for her enthusiasm and care; Robat Trefor for the copy editing and Alan Thomas for the cover. And thank you to our forward-thinking teachers, who ensure that their pupils are taught the history of Wales.

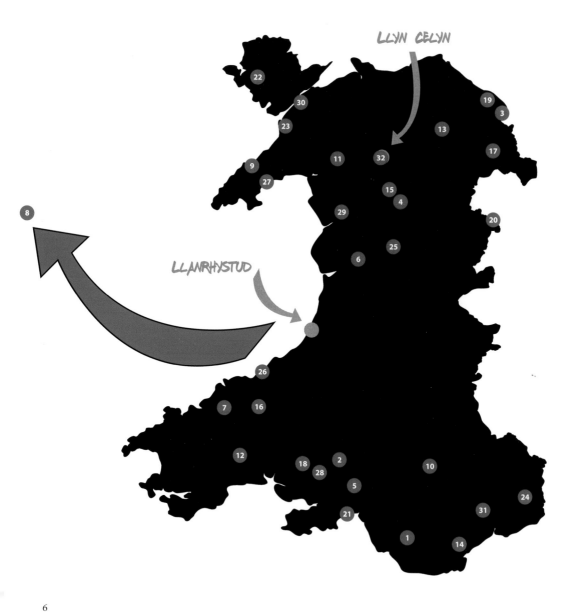

LLYN CELYN

LLANRHYSTUD

Lleoliadau | Locations

1. Pen-y-bont ar Ogwr | Bridgend
2. Rhydaman | Ammanford
3. Glannau Dyfrdwy | Deeside
4. Bwlch y Groes
5. Clydach
6. Machynlleth
7. Ysgol Eglwyswrw
8. Chicago
9. Nefyn
10. Merthyr Tudful
11. Llanfrothen
12. Hendy-gwyn ar Daf | Whitland
13. Ysgol Pentrecelyn, Rhuthun
14. Caerdydd | Cardiff
15. Peniel, Llanuwchllyn
16. Capel Iwan
17. Llangollen
18. Mynydd Llangyndeyrn
19. Ysgol Croes Atti, Y Fflint
20. Y Trallwng | Welshpool
21. Traeth Abertawe | Swansea Beach
22. Bryngwran
23. Stiwdio Sain, Llandwrog
24. Mynwy | Monmouth
25. Llanbrynmair
26. Llangrannog
27. Ysgol Pentreuchaf
28. Cross Hands
29. Llwybr Mawddach
30. Y Felinheli
31. Ysgol Gymraeg Cwmbrân
32. Rhyd-y-Fen, Llyn Celyn

Mae'r ysgrifen ar y mur!

The writing is on the wall!

Ymateb y Cymry i'r difrod i'r murlun eiconig gwreiddiol ger Llanrhystud eleni fu'r symbyliad i'r gyfrol hon. Mae ein dyled yn fawr i'r criw ifanc aeth ati i ailgodi'r wal ac i ailbeintio'r murlun; pobl nad oedd wedi eu geni pan foddwyd Capel Celyn yn chwedegau'r ganrif ddiwethaf. Er nad oes lle i ddathlu Tryweryn, mae lle i ymfalchïo fod Cymry ledled y wlad wedi ymateb i'r trosedd casineb hwn drwy godi brwsh paent a chreu eu murluniau eu hunain. Efallai i fandaliaid y murlun wneud ffafr â ni wrth i'r deffroad torfol gwladgarol gynyddu fel caseg eira yn sgil eu hanfadwaith. Dyma yn wir oedd 'Spartacus moment' y Cymry. A hyd yn oed pan mae rhai o'r murluniau yma'n cael eu dileu, mae'r Cymry'n dychwelyd yn dawel urddasol i ailbeintio eu teyrngedau.

Profiad torcalonnus yw darllen hanesion am gau'r ysgol a'r capel, am godi cyrff o'r fynwent, ac am y poeri a'r gwawdio ar drigolion Capel Celyn wrth iddynt orymdeithio drwy Lerpwl yn eu dillad parch. Pennawd y *Daily Post* ddiwrnod yr orymdaith, Tachwedd 21, 1956 oedd: 'Capel Celyn will invade city today'. Pa fath o 'invasion' oedden nhw'n ei ddisgwyl, mewn difri calon? Canu emynau Cymraeg wnaeth 'goresgynwyr' diwylliedig Capel Celyn y tu allan i'r Siambr y diwrnod hwnnw.

Roedd darllen am ddihidrwydd Cyngor Llafur Lerpwl a Llywodraeth San Steffan tuag at drigolion Capel Celyn yn y ddegawd cyn y boddi yn brofiad ysgytwol, ac yn enwedig ddisgrifiadau syrcas di-chwaeth agoriad swyddogol

It was the Welsh people's response to the damage inflicted upon the original iconic mural at Llanrhystud this year that sparked the idea for this book. We are indebted to the young people who went to re-build and paint the wall; people who had not been born when Capel Celyn was drowned in the sixties of the last century. Although Tryweryn is not something to be celebrated, we should take pride that all over Wales, people have responded to the hate crime by picking up a paint brush and creating their own murals. Perhaps the mural's vandals did us a favour as the collective patriotic awakening began to snowball in response to their heinous act. This was indeed the Welsh people's 'Spartacus moment.' And even when some of these murals have been defaced, the Welsh people have returned quietly, and with dignity, to re-paint their tributes.

It remains a heartbreaking experience to read the story of the closing of the school and chapel, the exhumation of the cemetery's bodies, the spitting and jeering aimed at Capel Celyn's inhabitants, marching in their Sunday best through Liverpool. *The Daily Post*'s headline on the day of the march, November 21, 1956 was: 'Capel Celyn will invade city today'. What kind of 'invasion' did they expect, in all honesty? Capel Celyn's cultured 'invaders' sang Welsh hymns outside the Chamber on that day.

Reading of Liverpool Labour Council and Westminster's indifference towards Capel Celyn's inhabitants in the decade

yr argae yn 1965. Hawdd ymdeimlo â dicter y protestwyr wrth iddynt redeg, fel merched Beca gynt, tuag at yr agoriad swyddogol. Llwyddwyd i rwystro sioe rwysgfawr Corfforaeth Lerpwl. Ond roedd y cyfan yn rhy hwyr. Agorwyd y llifddorau i ddarparu dŵr yfed; dŵr y gŵyr pawb erbyn heddiw nad oedd trigolion Lerpwl ei angen. Caent ddigon o ddŵr o Lyn Fyrnwy, Llanwddyn, pentref arall a foddwyd gan Lerpwl, ddiwedd y bedwaredd ganrif ar bymtheg. Dŵr i wneud elw ariannol ohono oedd dŵr Tryweryn.

Mae grym mewn geiriau. Gorchymyn oedd peintio'r geiriau *Cofiwch Dryweryn* ar wal Troed y Rhiw ar y ffordd rhwng Llanrhystud ac Aberystwyth ddechrau'r chwedegau. Mae'n arwyddocaol mai ar wal hen furddun y peintiwyd y slogan gwreiddiol gan Meic Stephens. Dyma symbol o hen ffordd o fyw; dadfeiliad cefn gwlad ac effaith andwyol hynny ar yr iaith Gymraeg; symbol o hen ddiwylliant yn mynd â'i ben iddo. Tyfodd Capel Celyn yn symbol o'n diymadferthedd a'n darostyngiad diwylliannol ac economaidd. Daeth y geiriau *Cofiwch Dryweryn* yn un o sloganau mwyaf grymus ein hymwybod cenedlaethol. Erbyn hyn mae gan y wal berchennog newydd ac elusen o'r enw Tro'r Trai wedi ei hapwyntio i'w gwarchod hi.

Ymgais fach yw'r gyfrol hon i adrodd pennod ddiweddaraf stori Tryweryn. Er mwyn rhoi hanes eleni yn ei gyd-destun ehangach, gwahoddwyd tri phrif gyfrannwr sydd â'u gwreiddiau o dan ddyfroedd Llyn Celyn, Eurgain Prysor Jones, Gwyn Roberts ac Elwyn Edwards, i adrodd penodau cynnar y stori o'u persbectif personol nhw. Dwi'n hynod o falch hefyd i Emyr Llewelyn, a garcharwyd am flwyddyn wedi iddo gydag Owain Williams a John Albert Jones geisio rhwystro adeiladu'r argae yn Chwefror 1963,

leading up to the drowning is an emotional experience, especially the descriptions of the tasteless circus that was the official opening of the dam in 1965. It's easy to empathize with the Welsh protestors' anger as they ran, like old Rebecca's daughters, towards the official opening. Liverpool Corporation's bombastic show was ruined. But it was all too late. The floodgates were opened to supply drinking water; water that everyone today knows Liverpool's residents didn't need. They had plenty of drinking water from Lake Vyrnwy, Llanwddyn, another village drowned by Liverpool, at the end of the nineteenth century. Tryweryn's water was water purely for financial profit.

Words have power. The words *Cofiwch Dryweryn* painted on the wall of Troed y Rhiw on the road between Llanrhystud and Aberystwyth at the beginning of the sixties was a command. It is significant that it was on an old ruined cottage that the original slogan was painted by Meic Stephens. It was a symbol of an old way of life; the decline of rural life and its detrimental effect on the Welsh language; a symbol of an old culture going to ruin. Capel Celyn became a symbol of our powerlessness and our cultural and economic submission. The words *Cofiwch Dryweryn* became one of the most powerful slogans of our national consciousness. The wall has recently acquired a new owner and a charity called Tro'r Trai has been set up to safeguard it.

This book is a modest attempt to narrate the latest chapter in the Tryweryn story. To place this year's story in its wider context, three main contributors who have their roots under llyn Celyn's waters, Eurgain Prysor Jones, Gwyn Roberts and Elwyn Edwards, were invited to

gytuno i gyfrannu at y gyfrol. Braf hefyd ydi medru cynnwys pwt gan Huw Stephens, mab awdur y murlun gwreiddiol. Yn dilyn hynny, cyflwynir elfennau o stori eleni ar ffurf lluniau a phytiau gan y cyhoedd, fu un ai'n peintio neu'n gwerthfawrogi ymdrechion eraill yn ystod y gwanwyn a'r haf. Blas yn unig a geir yma o'r cannoedd o furluniau sydd yn parhau i gael eu creu.

Mae stori murluniau heddiw yn un sy'n newid yn ddyddiol. Cyn i chi orffen pori drwy'r gyfrol hon, bydd rhywun yn rhywle wedi peintio slogan arall, neu beintio dros slogan sydd yno'n barod. Dyna natur graffiti! Nid yw'n arhosol. Mae graffiti'n aml iawn yn ffurf ar fynegiant i bobl sy'n teimlo nad yw eu lleisiau'n cael eu clywed, gan greu argraff ar gydwybod gwleidyddol a moesol y cyhoedd.

Mae egni mewn graffiti. Efallai fod hyn yn egluro pam mai pobl ifanc yw llawer o'r rhai sydd wedi anfon y lluniau ar gyfer y gyfrol hon. Mae hefyd yn braf gweld bod egni mewn pobl hŷn, a bod rhai ohonynt wedi sleifio allan liw nos i roi eu stamp ar wal neu graig neu bont. Bu'r peintio'n brofiad cymunedol i lawer a gwelwyd sawl cenhedlaeth yn uno yn y weithred o genhadu a chyfathrebu'r neges. Mae gan nifer o'n hysgolion bellach eu murluniau *Cofiwch Dryweryn* ar wal buarth neu mewn cyntedd neu ystafell ddosbarth. Mae'r waliau yma i gyd yn gynfas i gyfleu anghyfiawnder Tryweryn. Y murluniau hyn yw llais y bobl ac mae'r llais heddiw yn un croch sy'n codi ymwybyddiaeth ein cyd-genedl am ein hanes. Mae'r murluniau hyn i raddau wedi ein huno, wrth i ni fachu ar y cyfle i rannu ein stori.

Mae celf ar ei orau yn herio, yn rhoi ffenest arall ar ein byd. Nid wyf am ddadlau bod sloganau replica *Cofiwch Dryweryn*, o angenrheidiol, yn weithiau celf, ond onid ydyn

recount the early chapters of the story from their personal perspectives. I'm thrilled that Emyr Llewelyn, who was jailed for a year as he and Owain Williams and John Albert Jones attempted to obstruct the building of the reservoir in February 1963, agreed to contribute to the book. It's great also to have a piece written by Huw Stephens, son of the author of the original mural. Elements of this year's story are then presented in the form of pictures and short written pieces by the public who have been painting or appreciating other people's efforts during the spring and summer of this year. This book is only a taster of the hundreds of murals which continue to be created.

The story of today's murals changes daily. Before you have finished browsing through this book, someone, somewhere will have painted another slogan, or painted over a remaining one. That is the nature of graffiti! It's not permanent. Graffiti is often a mode of expression for people who feel that their voices aren't heard, creating an impression on the political and moral conscience of the public.

There is an energy in graffiti. Perhaps this explains why so many young people have sent in their photographs for this book. It's great also to see that there is still energy in older people, with some of them having slipped out in the dark of night to put their stamp on a wall, a rock or a bridge. It has often been a communal experience with different generations coming together in their mission to communicate the message. Many schools in Wales now have their own *Cofiwch Dryweryn* mural on a wall, in the school yard or in a corridor or classroom. These walls are a canvas to convey the injustice of Tryweryn. These murals are the voice of the people, and the voice is loud

nhw (fel unrhyw gelfyddyd ar ei gorau) hefyd yn ein herio, yn pigo ein cydwybod, yn mynnu nad ydym yn anghofio? Er ei holl gynnyrch llenyddol aruchel, fe daerodd Meic Stephens am y graffiti ar y wal ger Llanrhystud:

... Dyma fy natganiad enwocaf, fy ngherdd huotlaf, fy ngweithred boliticaidd bwysicaf.

(*Cymru Fyw*; 25, Mawrth, 2015.)

Efallai nad oes gennym eto ein horiel genedlaethol, ein papurau cenedlaethol, na'n pwerau deddfu llawn ein hunain, ond mawredd, mae gennym ni ein waliau! Fel y dywedodd Siôn Jobbins yn ei gyfrol wych, *A Phenomenon of Welshness II*:

The exciting part of our life is that we can actually force change. If we are not all great politicians or world-known celebrities, we are all the authors of the graffiti of our nation.

A do, bu awduron graffiti ein cenedl yn diwyd beintio waliau eu broydd. Gwlad o gymunedau bychain ydi Cymru, ond pan unwn ni gyda'n gilydd i godi'n llais, mae gan Gymru'r potensial i fod yn wlad fawr.

Pan beintiwyd slogan *Cofiwch Dryweryn* ar wal islaw fy nghartref ddiwedd Ebrill eleni, gofynnodd un a fagwyd ac a addysgwyd drwy gyfrwng y Gymraeg yn y pentref, 'Pwy oedd Dryweryn?' Roeddwn i, cyn hynny, yn ddigon naïf i feddwl fod pawb drwy Gymru'n gwybod hanes boddi pentref Capel Celyn, ei thai a'i ffermydd, ei hysgol a'i llythyrdy, ei chapel a'i mynwent, er mwyn i Lerpwl wneud elw mawr o'r dŵr a gronnwyd yn Nhryweryn. Ond wrth

today raising the awareness of our fellow countrymen and women to our history. To some extent, these murals have unified us as we have grabbed this opportunity to share our story.

Art at its best challenges, giving us another window on our world. I don't intent to debate whether the *Cofiwch Dryweryn* replica slogans are necessarily works of art, but don't they (as art at its best should) challenge us, prick our consciences, demand that we will not forget? Notwithstanding all of his exalted literary output, Meic Stephens when talking about the graffiti on the wall near Llanrhystud, insisted:

This is my most famous declaration, my most eloquent poem, my most important political act.

(*Cymru Fyw*; 25, March, 2015.)

Perhaps we haven't yet got our national gallery, our own national newspapers, or our full legislative powers, but goodness, we have our walls! As Siôn Jobbins said in his brilliant book, *A Phenomenon of Welshness II*:

The exciting part of our life is that we can actually force change. If we are not all great politicians or world-known celebrities, we are all the authors of the graffiti of our nation.

And yes, the graffiti authors of our nation have been diligently painting the walls of their neighbourhoods. Wales is a country of small communities, but when we come together to raise our voices, Wales has the potential to be a great nation.

gwrs, dydi hanes Cymru ddim yn cael ei drosglwyddo yn y rhan fwyaf o'n hysgolion. Fel y dywedodd Adam Price:

Tase plant Cymru'n cael gwybod eu hanes gan yr ysgolion yna fe fyddai pob plentyn yn genedlatholwr.

(Cyfweliad yng Nghlwb Canol Dref, Caernarfon, 30 Tachwedd, 2018.)

Gweithred fwriadol, gweithred boliticaidd yw amddifadu plant o'u hanes. Bu bygwth cyfraith ar Freya a Steve Sykes, oni thynnent eu *Cofiwch Dryweryn* oddi ar wal eu siop, yn brawf bod rhai yng Nghymru ofn wynebu eu hanes eu hunain. Beth welwn ni wrth edrych yn y drych? A welwn ni ein diymadferthedd? A welwn ni ein gwaseidd-dra? Pam wnaeth y murlun a'i deyrnged Cymraeg ei iaith godi'r fath ofn ar Gyngor Pen-y-bont?

Eglurodd y Dr Alison Mawhinney (Ysgol y Gyfraith, Prifysgol Bangor) wrthyf fod y bygythiad hwn gan Gyngor Pen-y-bont yn groes i Ddeddf Iawnderau Dynol 1998 a'r hawl i ryddid mynegiant. Cefais fy nghyfeirio at Adran 10 y Ddeddf sy'n tanlinellu nad yw'r dulliau mynegiant a warchodir gan yr adran honno'n cael eu cyfyngu i'r llafar yn unig. Maent yn cynnwys mynegiannau o unrhyw fath, fel geiriau llafar ac ysgrifenedig, lluniau, gwisg, graffiti a gweithrediadau o brotest. Mae'r Llys Ewropeaidd wedi haeru'n ddi-flewyn ar dafod ac yn gyson, bod amddiffyniad Adran 10 yn ymestyn i fynegiant artistig a bod hyn yn allweddol i gymdeithas ddemocrataidd. Gwnaeth Cyngor Llafur Pen-y-bont ei orau i geisio cyfyngu ar ryddid mynegiant Freya a Steve Sykes.

Derbyniodd Steve Sykes ei addysg ym Mhen-y-bont ond ni chafodd wybod am hanes Cymru yn yr ysgol. Wrth

When the *Cofiwch Dryweryn* slogan was painted on a wall beneath my home at the end of April this year, a person who had been raised and educated through the medium of the Welsh language in the village inquired, 'Who was Dryweryn?' Before then, I naively thought that everybody throughout Wales knew the history of the drowning of the Capel Celyn village, its houses and farms, its school and post office, its chapel and graveyard, so that Liverpool could make huge profits from the water dammed at Tryweryn. But of course, Wales' history isn't taught in most of our schools. As Adam Price said recently:

If the children of Wales were allowed to learn their history in their schools then every child in Wales would be a nationalist.

(Interview in Clwb Canol Dref, Caernarfon, 30 November, 2018.)

Depriving children of their history is an intentional act, a political act. Threatening law on Freya and Steve Sykes if they didn't erase their *Cofiwch Dryweryn* on their shop's wall in Bridgend is testimony that some in Wales are scared of facing their own history. What do we see when we look in the mirror? Do we see our own inertia? Do we see our servitude? Why did the mural in Bridgend with its Welsh language tribute so scare its Council?

Dr. Alison Mawhinney (Bangor University Law School) explained to me that this threat from Bridgend Council was a breach of the Human Rights Act 1998, to the right to freedom of expression. She referred me to Article 10 of the Act which stresses that the communications protected

iddo fynd â'i fab i Goleg Prifysgol Aberystwyth, pasio Llanrhystud a gweld y murlun gwreiddiol, penderfynodd ymchwilio i hanes ei wlad. A dyna sylweddoli bod cenedl wedi ei haddysgu yn ei hanes ei hun yn ysgogiad i genedl sy'n llawn cymhelliant.

Ymysg y pedwar diben o fewn y Cwricwlwm newydd i Gymru y mae creu:

Dinasyddion egwyddorol a gwybodus yng Nghymru a'r byd... sydd yn wybodus am eu diwylliant, eu cymuned, eu cymdeithas a'r byd yn awr ac yn y gorffennol.

Mae'r diben hwn i'w groesawu, ond mae angen ystyried agwedd 'cymuned' yn bwyllog. Ydi, mae'n gwbl allweddol i addysgu ein plant a'n pobl ifanc am eu hanes lleol, ond mewn gwlad mor fach â Chymru, gall y lleol fod yn ddarniog. Does dim pwynt i blant Y Felinheli ddysgu am y diwydiant llechi ac i blant Treorci ddysgu am y diwydiant glo, oni rannwn y straeon lleol hyn yn genedlaethol. Dyna ogoniant y murluniau diweddar. Mae stori Tryweryn yn stori genedlaethol. Ein stori ni yw hon. Mae plant yng Ngwent wedi cofleidio stori sy'n deillio o Feirionnydd gan weld perthnasedd rhybudd *Cofiwch Dryweryn* i'w cymuned nhw.

Dagrau pethau yw nad oes gan Gymru hyd yn oed heddiw, dros hanner canrif wedi boddi Capel Celyn, bŵer dros ei hadnoddau naturiol ei hun. Mae Boris Johnson wedi dadlau dros symud cyflenwad dŵr o Gymru a'r Alban er mwyn darparu dŵr i ardaloedd sychach o Loegr! Ei sylw i'r ymateb chwyrn o Gymru oedd fod y gwrthwynebiad yn swnio 'pretty much like tripe to me.'

Mae rhai cyfranwyr i'r gyfrol hon wedi taeru wrthyf

by that Article are not limited to speech. They include communications of any kind such as spoken or written words, picture, dress, graffiti and acts of protest. The European Court of Human Rights have consistently and explicitly held that the protection of Article 10 extends to artistic expression which is essential for a democratic society. Bridgend County Council strived to limit Freya and Steve Sykes' rights to freedom of expression.

Steve Sykes received his education in Bridgend but wasn't taught about Wales' history at school. As he took his son to Aberystwyth University, passing Llanrhystud and seeing the original mural, he decided to research his nation's history, recognising that an educated nation is a motivated one.

Among the four purposes within the new Curriculum for Wales, there is the intention to create:

Ethical, informed citizens who are knowledgeable about their culture, community, society and the world, now and in the past.

This aim is to be welcomed, but one needs to consider the 'community' aspect carefully. Yes, it's imperative that we teach our children and young adults about their local history, but in a country as small as Wales, the local can become fragmented. There is no point in Y Felinheli's children learning about the slate industry and the children of Treorchy learning about the coal industry unless we share these stories nationally. That is the glory of the recent murals. The Tryweryn story is a national story. This is our story. Children in Gwent have embraced a story that originated in Meirionnydd, recognising the relevance

mai gwaddol murluniau 2019 fydd annibyniaeth, a hynny o fewn y ddegawd nesaf. Dywedodd Gwynfor Evans yng nghyfnod protestiadau Tryweryn ei fod yn ffyddiog y byddai gan Gymru hunanymreolaeth o fewn pymtheg mlynedd. Rydyn ni'n genedl sobor o amyneddgar. Mae'r newid a ddeisyfir yn hir yn dod. Mae'r amynedd yn pallu a'r awch yn cynyddu, fel y tystia'r tair gorymdaith Annibyniaeth AUOB (All Under One Banner) fawr a gynhaliwyd yng Nghymru eleni.

Gellir ymfalchïo yn ein murluniau, ond peidiwn â gorffwys ar ein rhwyfau. Waeth heb ag aros am y Mab Darogan. Daeth y Mab Darogan ar ffurf artistiaid graffiti ledled Cymru. Mynnwn gadw'n gafael ar fomentwm balchder a dicter y murluniau. Mynnwn ein hawl i ryddid mynegiant yn ein hiaith ein hunain. Mynnwn waddol cadarnhaol i furluniau 2019. Dydi'r stori ddim wedi dod i ben. Ni yw awduron y bennod nesaf ac mae'r ysgrifen ar y mur.

Mari Emlyn, Hydref 2019

of the warning the *Cofiwch Dryweryn* story has for their community.

Sadly, even half a century after the drowning of Capel Celyn, Wales still has no power over its natural resources. Boris Johnson has argued that water provision from Wales and Scotland should be transferred to drier regions of England! His comment, following the fierce response from Wales, was that the opposition sounded, 'pretty much like tripe to me.'

Some contributors to this book have insisted that the legacy of the 2019 murals will be independence within the next decade. Gwynfor Evans said, during the era of the Tryweryn protests, that he was confident of self-rule within fifteen years. We are quite a patient nation! The change desired is a long time coming. Patience is running out and appetite for change is increasing, as displayed in the three large AUOB (All Under One Banner) Independence marches held in Wales this year.

We can take pride in our murals, but not in exchange for resting on our laurels. There is no point in waiting for the Mab Darogan (Son of Prophecy). The Mab Darogan has appeared in the guise of graffiti artists throughout Wales. Let's keep a hold on the momentum of pride and anger displayed by these murals. Let's demand our right to freedom of expression in our own language. Let's insist on a positive legacy to the 2019 murals. The story is far from over. We are the authors of the next chapter and the writing is on the wall.

Mari Emlyn, October 2019

Rhai o'r protestwyr yn heidio i lawr at agoriad swyddogol y llyn, Hydref 21, 1965.

Some of the protesters running down towards the official opening of the lake, October 21, 1965.

(Casgliad Ffotograffiaeth Gwilym Livingstone Evans, Llyfrgell Genedlaethol Cymru /
Gwilym Livingstone Evans Photography Collection, The National Library of Wales)

Y protestwyr yn mynnu dangos eu gwrthwynebiad i foddi Capel Celyn, Hydref 21, 1965.

The protesters demonstrating their opposition to the drowning of Capel Celyn, October 21, 1965.

(Casgliad Ffotograffiaeth Gwilym Livingstone Evans, Llyfrgell Genedlaethol Cymru /
Gwilym Livingstone Evans Photography Collection, The National Library of Wales)

Llwyddodd y protestwyr i rwystro'r Henadur Frank Cain, Cadeirydd Pwyllgor Dŵr Dinas Lerpwl, J. H. T. Stilgoe, Peiriannydd Dŵr Lerpwl a David Cowley, Arglwydd Faer Lerpwl, rhag areithio yn y seremoni agoriadol. Torrwyd gwifrau'r meicroffon ac ar ôl cwta dri munud, daeth y seremoni i ben ac agorwyd y gronfa ddŵr yn swyddogol.

The protestors succeeded in obstructing Alderman Frank Cain, Chairman of Liverpool City's Water Committee, J. H. T. Stilgoe, Liverpool's Water Engineer and David Cowley, Lord Mayor of Liverpool, from making their speeches in the official opening. The microphone wires were cut and after a mere three minutes, the ceremony came to an end and the reservoir was officially opened.

Yr unig gais gan Bwyllgor Amddiffyn Capel Celyn a gymeradwywyd gan Gorfforaeth Lerpwl
oedd galw'r llyn newydd yn Llyn Celyn ac nid Llyn Tryweryn Mawr, fel y dymunai'r Gorfforaeth.

The only request by the Capel Celyn Defence Committee granted by Liverpool Corporation
was to call the new lake Llyn Celyn and not Llyn Tryweryn Mawr, as the Corporation had wished.

Eurgain Prysor

Cefais fy magu, hyd nes oeddwn yn naw oed, mewn tyddyn o'r enw Tyn y Bont. Roedd fy nghartref yng nghanol pentre bach Capel Celyn: chwech o dai, ysgol, capel a llythyrdy. Gweithiai fy nhad gyda'r heddlu ac roedd gennyf frawd hŷn a brawd iau. Yn 1965 boddwyd y pentref, y ffermydd a'r tiroedd yng Nghwm Tryweryn gan Gyngor Lerpwl. Roedd y trigolion yn ymwybodol o'r bygythiad mor gynnar â 1955 gan i Watcyn o Feirion gyhoeddi cerddi yn y papur lleol; roedd un yn nodi:

> Onid trist a fyddai tro
> Gweld y lle fel gwaelod llyn.

Dyna'n wir ddigwyddodd a chafwyd cyfnod o ddeng mlynedd o bryder a phoen.

Yn dilyn cyfarfod yng Nghelyn ym Mawrth 1956, ffurfiwyd Pwyllgor Amddiffyn gyda Dafydd Roberts, Caefadog, yn Gadeirydd ac Elizabeth Watkin Jones yn Ysgrifennydd. Gwnaed cais gan y Pwyllgor i gyfarfod â Chyngor Lerpwl, ond fe'i gwrthodwyd. Ar Dachwedd 7, 1956, aeth dirprwyaeth i Lerpwl ar ran y pwyllgor, sef Gwynfor Evans, y Parch. R. Tudur Jones a Dafydd Roberts. Ceisiodd Gwynfor Evans annerch y Cyngor, ond fe'i hebryngwyd o'r Siambr, ynghyd â'r ddau arall, gan yr heddlu. Ar Dachwedd 21, aeth trigolion Capel Celyn i Lerpwl i brotestio, a fi oedd yr ieuengaf, yn dair oed. Cawsom dderbyniad na welwyd ei fath, gyda'r Aelod Seneddol, Bessie Braddock (ymgorfforiad o Ena Sharples,

I was raised, until I was nine years old, in a cottage named Tyn y Bont. My home was in the middle of the hamlet of Capel Celyn: six houses, a school, a chapel and post office. My father worked with the police force and I had an older and younger brother. In 1965, Liverpool Council drowned the village and its farms and lands in the Tryweryn valley. The inhabitants were aware of the threat as early as 1955 because Watcyn o Feirion had published poems in the local paper; one of them stated:

> How sad, how sad were we to see
> A lake's bed where our homes should be.

That is exactly what happened and we suffered ten years of worry and pain.

Following a meeting in Celyn in March 1956, a Defence Committee was formed with Dafydd Roberts, Caefadog as Chairman and Elizabeth Watkin Jones as Secretary. An application was made by the Committee to meet with Liverpool Council, but it was refused. On November 7, 1956, a delegation from the Committee went to Liverpool: Gwynfor Evans, the Rev. Tudur Jones and Dafydd Roberts. Gwynfor Evans attempted to address the Council, but he, and the other two, were escorted out of the Chamber by the police. On November 21, the inhabitants of Capel Celyn went to Liverpool to protest, and I was the youngest, being only three years old. Never had any one witnessed

Coronation Street) a'i dilynwyr yn poeri a thaflu tomatos drwg atom.

Collwyd y frwydr ac enillodd cwmni Tarmac y tendr i wneud y gwaith. Heidiodd gweithwyr o Iwerddon fel gwenyn; dynion gweithgar a gonest oedden nhw, na ellid cael eu gwell.

Dyma drobwynt ein bywydau, prysurdeb, baw, llwch ac ymwelwyr yn dod i ymweld â'r lle'n ddyddiol, cyn y boddi. Byddai pawb yn holi: 'Lle dech chi'n mynd?', 'Ble fyddwch chi'n byw?' a theimlem fod rhywbeth mawr ar ddigwydd, a phob angor oedd gennym yn ein bywydau yn cael ei dynnu o dan ein traed. Rwy'n sicr, pe digwyddai hyn heddiw, y caem gwnsela am drawma.

Cychwynnais yn Ysgol Celyn yn llawn amser yn dair oed, ac roedd yr addysg a'r gofal yn arbennig gan y brifathrawes, Mrs M. J. Roberts. Ysgol un ystafell oedd hi; deuddeg o ddisgyblion ar y gofrestr a thraean ohonynt o'r un tŷ gan fod yna un deg pedwar o blant i gyd yn y teulu. Llwyddai'r brifathrawes i gynnal diddordeb yr ystod eang o oed, rhwng tair ac un ar ddeg. Roedd yr amodau'n wahanol iawn i ysgolion heddiw gyda thân agored, dim trydan na ffôn. Eisteddai pawb yn eu desgiau ac roedd y toiledau'r tu allan.

Fis Gorffennaf 1963 caewyd yr ysgol. Cafodd pob un ohonom ddarn o gacen i fynd adre efo ni; cacen a anfonwyd i'r ysgol gan Emyr Llewelyn, Owain Williams a John Albert Jones. Ond, cyn i ni gyrraedd adref, daeth y peiriannau'n syth a chwalu ein hysgol a'i chynnwys i'r llawr. Chawson ni ddim hyd yn oed gyfle i dynnu ein lluniau oddi ar y waliau. Yr un dynged oedd i'r capel yn 1964. Rhannwyd yr eiddo ynddo rhwng yr aelodau.

Pan gafwyd yr agoriad swyddogol, Hydref 1965, aeth yr un aelod o'm teulu yno. Ychydig ddyddiau cyn yr agoriad bu farw

such a reception, with the Member of Parliament, Bessie Braddock (a reincarnation of Ena Sharples, *Coronation Street*) and her followers spitting and throwing rotten tomatoes at us.

The battle was lost and Tarmac company won the tender to do the work. Workers from Ireland came like a swarm of bees; they were hard working and honest men.

This was a turning point in our lives; a hive of activity, mud, dust and visitors coming to see us daily, before the drowning. Everybody would inquire: 'Where will you go?', 'Where will you live?', and we felt that there was something huge about to happen, and that every anchor we had in our lives was being dragged from under our feet. I'm certain that if this happened today, we would receive counselling for trauma.

I started in Ysgol Celyn full time when I was three years old, and the education and care given by the head teacher, Mrs M. J. Roberts, was excellent. It was a one class school; twelve pupils on the register and a third of them from one household as there were fourteen children in the family. The head teacher succeeded in maintaining the interest of a wide range of ages, between three and eleven years old. The conditions were very different from today's schools, with an open fire, no electricity and no telephone. Everyone sat at their desks and the toilets were outside.

In July, 1963, the school was forced to close. Each one of us was given a piece of cake to take home with us; a cake donated to us by Emyr Llewelyn, Owain Williams and John Albert Jones. But before we reached our homes, the machines came straight away to destroy the school and its contents, down to the floor. We didn't even have the opportunity to take down our pictures from the walls. The chapel met the

Dafydd Roberts Caefadog, a bu Elizabeth Watkin Jones farw dri mis ynghynt; dau a weithiodd mor galed i geisio achub y cwm. Llethwyd pawb gan dristwch.

Fel teulu, doedd gennym unlle i fyw. Roedd fy rhieni'n gyfyngedig o ran lle'r oeddem am fyw gan fod gwaith fy nhad wedi ei ganoli yn swyddfa heddlu'r Bala. Roedd rhaid hefyd cael ychydig o dir. Penderfynwyd prynu gweddill tir fferm fy nhaid a nain, a thalu mwy amdano nag a gafwyd o iawndal gan Lerpwl. Fy rhieni gymerodd y baich o dalu costau adeiladu tŷ newydd. Gan nad oedd cais cynllunio wedi'i drefnu ar ein cyfer, bu'n rhaid i ni symud i garafán am ddeunaw mis ar ôl gadael Capel Celyn.

Ymhen dwy flynedd o fyw yn y tŷ newydd, cyhoeddodd un o'r prif ddynion o Lerpwl ei fod yn dod i weld a oedd y tŷ 'Up to Liverpool standards'. Nid oeddent wedi cyfrannu dimai tuag at ei adeiladu. Aeth y dyn drwy'r tŷ, a'r unig beth a ddywedodd oedd: 'Beautiful view of the bay here...' a 'A nice view from this window...' Ond cyn mynd, trodd at fy mam a dweud: 'I hope you realise, we don't drink your water, we only use it to flush toilets.'

Do, fe gafwyd ymddiheuriad gan Lerpwl, ond roedd o'n ddeugain mlynedd yn rhy hwyr, gan i lawer o'r trigolion farw'n ifanc a chynamserol.

Gwir yw'r geiriau o waith y diweddar Emyr Oernant; 'Tre hiraeth yw Tryweryn.'

same fate in 1964. Its contents were shared between the members.

Not one member of my family attended the official opening in October 1965. A few days before the grand opening, Dafydd Roberts Caefadog, died and Elizabeth Watkin Jones had died a few months previously; two who had worked tirelessly to try to save the valley. Everyone was overwhelmed by sadness.

As a family, we had nowhere to live. My parents were limited as to where we could live as my father's work was based in the police station in Bala. We also needed some land. It was decided that we would buy the remains of my grandparents' farm land, and we paid more for it than we received as compensation from Liverpool. It was my parents who took the brunt of paying the costs of building a new house. As no planning application had been made on our behalf, we had to move to a caravan for eighteen months after leaving Capel Celyn.

Within two years of living in the new house, one of Liverpool's main men announced that he was coming to see the house, to check that it was 'Up to Liverpool standards.' They hadn't contributed a penny towards the building work. A man went through the house, and the only comments he made were: 'Beautiful view of the bay here...' and 'A nice view from this window...' But before he left, he turned toward my mother and said: 'I hope you realise, we don't drink your water, we only use it to flush toilets.'

Yes, Liverpool issued an apology, but it was forty years too late, as many of the inhabitants had died young and before their time. The words of the late Emyr Oernant ring true; 'Tryweryn, the home of hiraeth.'

Trigolion Capel Celyn yn Lerpwl, Tachwedd 21, 1956 yn barod i orymdeithio. Eurgain yw'r ferch fach yn dal y poster yn y rhes flaen. Gwnaed y posteri gan Ifor Owen, Llanuwchllyn.

The people of Capel Celyn in Liverpool, November 21, 1956, ready to march. Eurgain is the little girl clutching the poster in the front row. The posters were made by Ifor Owen, Llanuwchllyn.

(Casgliad Ffotograffig Geoff Charles, Llyfrgell Genedlaethol Cymru / The Geoff Charles Photographic Collection, The National Library of Wales)

Dyddiau olaf Ysgol Capel Celyn. Y Brifathrawes gyda'r disgyblion y tu allan i'r ysgol.
Gwelir y Capel, Tŷ Capel a fferm Tynybont yn y cefndir.

The last days of Ysgol Capel Celyn. The Headteacher with the pupils outside the school.
The Chapel, Chapel House and Tynybont farm can be seen in the background.

Mae sŵn parhaus gan y peiriannau
a'r lorïau; ond yr ydym wedi
dygymod â'r sŵn, ac yn medru ei
anwybyddu.
Mae'r peiriannau yn neshau at y
pentref o hyd.

Llyfr Log Ysgol Capel Celyn, Gorffennaf 1962.
Y Brifathrawes yn cyfeirio at sŵn y peiriannau.

Ysgol Capel Celyn Log Book, July 1962. The
Headteacher mentioning the noise from the
machines.

(Gwasanaeth Archifau Gwynedd, Archifdy
Meirionnydd / Gwynedd Archives Service,
Meirionnydd Record Office)

Rhagfyr 20. Mae'r tywydd yn well eto yn ddiwedd
y tymor.
Cafwyd parti Nadolig yn yr ysgol trwy
garedigrwydd Mr Watkin Jones. Gofidièm
nad oedd iechyd Mr Watkin Jones yn
ddigon da iddo fedru dod atom i'r
ysgol. Ysgrifennodd y plant
lythyran ato, a haddwyd rhodd fechan
iddo.
Cafodd y plant anrhegion trwy
garedigrwydd cyfeillion. Pm daigalon

Ar y dudalen hon o'r Llyfr Log, mae'r
Brifathrawes yn nodi: 'Parti Nadolig olaf yr
ysgol, Rhagfyr 1962.'

On this page of the Log Book, the
Headteacher states: 'The school's last
Christmas party, December 1962.'

(Gwasanaeth Archifau Gwynedd, Archifdy
Meirionnydd / Gwynedd Archives Service,
Meirionnydd Record Office)

oedd y gweithgareddau, - er ei bod yn
Nadolig; am y teimlai pawb mai
dyma'r parti Nadolig olaf a gaawsem
yng Nghelyn.

1963.
Ionawr 8fed. Ail agorwyd yr ysgol.
Ion 21. Tywydd caled. Gallodd y athrawes
fynd i'r ysgol wedi i weithwyr y
Cyngor Sir agor y ffordd. Nid oedd
plant yno, am na allent ddod i'r
ffordd fawr. Nid oes dŵr yn yr
ysgol - nag yn y pentref. ac mae'n
rhaid torri rhew i gael dŵr o'r afon.
Ion 27. Tywydd caled. Heriarol y dydd a
rhewi y nos. Mae presenoldeb yn yr
ysgol yn isel iawn.

Chwef 4-5. Rhagor o eira Bu raid cau yr ysgol.
  "   11-13. Storm o eira
  "   14. Presenoldeb 27%.
  "   14-26. Caewyd yr ysgol dros wythnos hanner tymor
Cawsom dros fis o dywydd caled.
Gobeithio bod y gaeaf drosodd.

Ar y dudalen hon o'r Llyfr Log, noda'r Brifathrawes: 'Dim dŵr yn yr ysgol rhwng Ionawr ac Ebrill 1963.'

On this page of the Log Book, the Headteacher wrote: 'No water in the school between January and April 1963.'

(Gwasanaeth Archifau Gwynedd, Archifdy Meirionnydd / Gwynedd Archives Service, Meirionnydd Record Office)

54

Mawrth 5.	Meiriol, a glaw mawr, a lli.
" 25.	Trwsiwyd peipiau dŵr yr ysgol wedi wythnosau o gario dŵr o dap y pentref.
Ebrill 26.	Ail agorwyd yr ysgol wedi gwyliau'r Pasg.
Mai 2.	Daeth Mr W.R.Jones, y Cyfarwyddwr addysg, â gwybodaeth bendant fod yr ysgol yn cau ddiwedd y tymor.
	Nid oedd y wybodaeth yn peri syndod, am bod y cwm yn anghyfannedd erbyn hyn. Mae'r teuluoedd wedi symud o waelod y cwm, ac nid oes ond tri theulu yn y pentref. Gwyddis fod corfforaeth Lerpwl yn awyddus i orffen diboblogi'r cwm, am ei bod yn angenrheidiol i gloddio am dŵr o gwmpas y pentref.
	Mae pobman wedi ei orchuddio â llwch oddiwrth y drafnidiaeth ac o'i pyllau tywod sydd yn cael eu cloddio yn mhobman.
Mai 9.	Galwyd cyfarfod o Reolwyr yr ysgol i gyphwyso gwneud trefniadau yng nghylyn â chau'r ysgol.

Ar dudalennau olaf y Llyfr Log, mae'r Brifathrawes yn nodi: 'Derbyn y wybodaeth bendant, Mai 1963, fod yr ysgol yn cau ddiwedd y tymor.'

On the last pages of the Log Book, the Headteacher states: 'Information received, May 1963, confirming that the school was to close at the end of the term.'

(Gwasanaeth Archifau Gwynedd, Archifdy Meirionnydd / Gwynedd Archives Service, Meirionnydd Record Office)

55

Mai 16. Eisteddfod Aeron Pryor Jones yr arholiad blynyddol.

Mehefin 3-7. Caewyd yr ysgol dros y Sulgwyn.

Mehefin 20 a 25. Nid oedd yn bosibl cynnal y mabolgampau yn Llanuwchllyn oherwydd y tywydd gwlyb. Siom fawr.

Gorff. 5ed. Galwodd plant ysgol Gynradd y Bala, a phlant y ysgol Sunysberth yn yr ysgol. Yr oeddynt ar deithiau oamgylch y sir. Mae'n bleser gweld ein cydnabod; ond erbyn hyn mae pobl papurau newyddion yn blagur iawn. Mae'r ysgol yn y newyddion yn feunyddiol, a gwelir yr ysgol a'i y cwm ar y teledydd yn aml.

Gorff. 7ed. Cynhaliwyd oedfa ola'r plant yng Nghapel Celyn. Mae cydweithio hapus wedi bod rhwng yr ysgol a'r capel, a rhoddwyd llawer o gyfle i'r plant i gymryd rhan gyhoeddus yng ngwaith y capel.

Paratowyd te i'r plant yn yr ysgol ar ôl y Cyfarfod.

Gwnaeth y plant eu gwaith yn dda yn y Capel, ond yr oedd yn gyfarfod digon trist.

Tudalen olaf Llyfr Log yr ysgol yn nodi tristwch y dyddiau olaf.

Last page of the school's Log Book expressing the sadness of the final days.

(Gwasanaeth Archifau Gwynedd, Archifdy Meirionnydd / Gwynedd Archives Service, Meirionnydd Record Office)

Gwyn Roberts

(Mab Martha Roberts, Prifathrawes Ysgol Capel Celyn am naw mlynedd yn arwain at gau'r ysgol yn 1963.)

Byddai Mam wedi bod yn ei helfen gyda'r diddordeb newydd yn Nhryweryn. Fel Prifathrawes olaf Ysgol Capel Celyn, fyddai hi ddim yn petruso cyn derbyn gwahoddiadau i fynd i siarad â phlant mewn ysgolion neu yng Ngwersyll Glan-llyn. Gwnâi hyn er mwyn cadw'r hanes yn fyw, ac yn bwysicach, er mwyn ceisio sicrhau na fyddai dim byd tebyg yn digwydd fyth eto.

Gadawodd yr holl beth ei ôl arni hi. Nid ar chwarae bach oedd ceisio gwarchod plant yr ysgol yn ddyddiol rhag holl ofnau a hunllefau'r syniad o foddi eu cartrefi a'r cwm. Byth ers hynny, gwrthodai'n lân â mynd i Lerpwl, er iddi orfod mynd i'r ysbyty yno unwaith.

Roeddwn i'n blentyn, yn cael y fraint o fynd gyda Mam i Ysgol Capel Celyn ar yr adegau hynny pan oedd yr Ysgol Gynradd yn Y Bala ar gau ar 'Ddiwrnodau Achlysurol' – patrwm tebyg i Ddiwrnodau Hyfforddi Athrawon y dyddiau hyn. Roedd hyd at bump o'r rhain i'w cael mewn blwyddyn, a byddwn i'n edrych ymlaen i fynd i ysgol bur wahanol i'r un yr oeddwn i wedi arfer â hi.

Yn Ysgol Capel Celyn, doedd yna 'run gampfa ar gyfer Addysg Gorfforol, ond byddai'r disgyblion yn cael rhedeg a rhampio ar hyd y ffriddoedd; meithrin sgiliau cydbwysedd wrth groesi'r sarn dros Afon Celyn a chicio pêl ar y ddôl ar ôl croesi.

(The son of Martha Roberts, Ysgol Capel Celyn's Headteacher for nine years leading up to the closing of the school in 1963.)

Mam would have been in her element with the new interest in Tryweryn. As the last headteacher of Ysgol Capel Celyn, she wouldn't hesitate to accept invitations to talk to children in schools or in the Urdd's Gwersyll Glan-llyn. She would do this in order to keep the history alive and more importantly, to try and ensure that nothing like it would ever happen again.

The whole affair left its mark on her. It was no mean feat trying to protect the schoolchildren from all the fears and nightmares surrounding the idea of drowning their homes and their valley. Ever since then, she would refuse to go to Liverpool, although she had to go to a hospital there once.

As a child, I would have the honour of going with Mam to Ysgol Capel Celyn on those occasions when the Bala primary school was closed for 'Occasional Days' – similar to today's Teacher Training Days. There would be as many as five of these each year, and I would look forward to going to a very different school from the one I was accustomed to.

In Ysgol Capel Celyn, there was no gymnasium for Physical Education, but the pupils were allowed to run and romp along the mountain pastures; fostering balancing skills whilst crossing the stepping stones over Celyn river and kicking ball on the meadow after the crossing.

The school had one classroom; double desks were placed

Un ysfafell ddosbarth oedd i'r ysgol; desgiau dwbwl wedi eu gosod i'r plant lleiaf yn y tu blaen, a'r plant hynaf, y rhai oedd yn tynnu at yr un ar ddeg oed, yn y cefn. O flaen y dosbarth, â'i chefn at y wal roedd stof enamel fawr o liw hufenllyd, gard o'i chwmpas (ar gyfer sychu dillad gwlyb!) a bwcedaid o lo wrth ei hochr. Cerddai rhai plant bron i bedair milltir i gyrraedd yr ysgol gan gyrraedd weithiau wedi eu gwlychu hyd at eu crwyn.

Er bod Cyngor Lerpwl wedi gorfod brwydro i gael eu ffordd yn wleidyddol a chymdeithasol, roedd tirwedd a daeareg Cwm Celyn wedi bod yn garedig iawn wrthynt. Wrth archwilio'r tir, canfyddodd y syrfewyr fod eu holl anghenion ar gyfer adeiladu argae, yn glai, graean a gwenithfaen, ar gael yn y dyffryn. Byddent wrthi'n archwilio'r ffriddoedd yn ddyfal, gan fesur a chyfrifo, gwneud nodiadau ar glipfyrddau a dyrnu pegiau gwynion taclus o bren wedi ei lifio i'r tir i nodi eu safleoedd. Wedyn, symudent ymlaen i archwilio llecyn arall.

Un anghenraid i gynnau stof glo yw priciau bach. Byddai Mam yn canmol y plant am hel priciau ar eu ffordd i'r ysgol, ac wrth ochr y stof, roedd tomen fawr o briciau gwynion taclus o bren!

for the smaller children at the front, and the older children, the ones approaching eleven years old, would be at the back. At the front of the class, with its back to the wall, was a large enamel stove of a creamy colour, a guard surrounding it (to dry off wet clothes!) and a coal bucket next to it. Some children would walk around four miles to get to school and would often arrive soaked to the skin.

Although Liverpool Council struggled to get their own way politically and socially, the Celyn valley's topography and geology was very kind to them. As they investigated the land, the surveyor discovered that all their building requirements for the dam: clay, gravel and granite, were to be found in the valley. They would examine the mountain pastures painstakingly, measuring and calculating, making notes on clipboards and hammering neat white pegs that had been sawn in an orderly manner into the earth to mark their positions. Then they would move on to another location.

One necessity for lighting up a coal stove is a pile of kindling. Mam would praise the children for collecting firewood on their route to school, and there, by the stove, would be a large pile of neat white sticks!

Ufuddhaodd y plant i gais y ffotograffydd iddynt wenu ar y camera; nid felly'r Brifathrawes.

The children obeyed the photographer's request for them to smile to the camera; not so the Headteacher.

Y rhes gefn, chwith i'r dde / Back row, left to right: Elwyn Rowlands (Gelli); Ann E. Jones (Tŷ Nant); Eurgain Prysor Jones (Tynybont); Geraint Jones (Tŷ Nant); Elfyn Jones (Tŷ Nant); Aeron Prysor Jones (Tynybont).

Y rhes flaen, chwith i'r dde / Front row, left to right: Lowri Mair Jones (Rhydyfen); Jane W. Jones (Craignant); Rhodri Jones (Craignant); Dilys Jones (Rhydyfen); Rhian Jones (Tŷ Nant); Tryweryn Evans (Glan Celyn); Deiniol Prysor Jones (Tynybont); John Evans (Glan Celyn).

(Gwasanaeth Archifau Gwynedd, Archifdy Meirionnydd / Gwynedd Archives Service, Meirionnydd Record Office)

31

Dyma bump ohonom, tua'r un oed, yn eistedd ar garreg drws Ysgol Capel Celyn ar ddechrau'r 60au. Elwyn, Aeron, fi, Eurgain a Megan.

Here are five of us, about the same age, sitting on the doorstep to Ysgol Capel Celyn at the beginning of the 60s. Elwyn, Aeron, me, Eurgain and Megan.

(Casgliad preifat Gwyn Roberts / Gwyn Roberts private collection)

Llun arall o gyfnod y 60au cynnar. Ar y chwith mae Miss Gwyneth Evans, Arolygydd Ei Mawrhydri (a Llywydd cyntaf Merched y Wawr) ar ymweliad â'r ysgol. Nid oedd hyn yn ddigwyddiad anghyffredin. Byddai Miss Evans wrth ei bodd yng Nghapel Celyn ac yn galw heibio ar hap pan fyddai'n croesi'r Migneint.

Another photograph of the early 60s. On the left is Miss Gwyneth Evans, Her Majesty's Inspector (and the first President of Merched y Wawr) during a visit to the school. This wasn't a rare visit. Miss Evans loved being in Capel Celyn and would pop in by chance when crossing the Migneint.

(Casgliad preifat Gwyn Roberts / Gwyn Roberts private collection)

Gwynfor Evans yn arwain yr orymdaith drwy strydoedd Lerpwl.
John Abel Jones, Hafod Wen a C. O. Jones, Gwern Genau, sy'n cario'r faner.

Gwynfor Evans leading the march through the streets of Liverpool.
John Abel Jones, Hafod Wen and C. O. Jones, Gwern Genau, are carrying the banner.

(Casgliad Ffotograffig Geoff Charles, Llyfrgell Genedlaethol Cymru /
The Geoff Charles Photographic Collection, The National Library of Wales)

Elwyn Edwards

Cefais fy magu yn y Fron-Goch sydd ryw filltir a hanner yr ochr isaf i'r argae. Teulu fy Mam oedd yn dod o Gelyn ac mae yna brawf bod gwahanol ganghennau ohono wedi bod yno ers canrifoedd.

Tua chanol y pumdegau, daeth y newyddion fod Dinas Lerpwl yn mynd i foddi Capel Celyn er mwyn disychedu trachwant y ddinas fawr honno. Ni chymerais y sibrydion hyn o ddifri ar y pryd gan na feddyliais y byddai'r fath ddinistr yn bosib. Ond yr hyn na sylweddolwn oedd mai cenedl wedi ei chaethiwo oeddem. Daeth y si yn gryfach. Nid oedd Lerpwl yn mynd i foddi cartref Ann Griffiths yr emynyddes yn Nolanog gan eu bod wedi ildio rhag cynddeiriogi'r Cymry. Ond daeth i'r amlwg wedyn nad oedd gan Lerpwl eisiau boddi'r cwm hwnnw o gwbl. Cynllwyn oedd y cyfan, er mwyn cael llonydd i foddi Cwm Celyn a thaflu llwch i lygaid y genedl. Argae ar draws Afon Tryweryn a Chwm Celyn oedd i fod, felly.

Dydd Mercher Tachwedd 21, 1956, pan oedd Cyngor Dinas Lerpwl yn trafod boddi'r lle, trefnwyd dau fws i fynd yno. Penderfynais beidio â mynd i'r ysgol y diwrnod hwnnw. Roedd yn rhaid i mi fynd i Lerpwl i brotestio yn erbyn eu cynllun gwallgo. Cychwynnais gerdded o Fron-Goch. Tua hanner ffordd i Gelyn, stopiodd car gyda dau Sais ynddo gan ofyn i ble yr awn. Atebais fy mod yn mynd i Lerpwl ar y bws i 'ddangos fy ochr.' Dyma'r camera allan yn syth. Cefais fy hun yn un o bapurau dyddiol Saesneg y diwrnod wedyn gyda rhywbeth tebyg i'r geiriau canlynol oddi tano:

I was raised in Fron-Goch, about a mile and a half from the reservoir. My mother's family came from Celyn and there is evidence that different branches of her family had been there for centuries. Around the mid fifties, news reached us that the City of Liverpool was going to drown Capel Celyn in order to quench its greed. I didn't take those rumours seriously at the time as I never thought that such devastation was possible. What I hadn't realised was that we were a nation in shackles. The rumours persisted. Liverpool wasn't going to drown the home of Ann Griffiths, the hymn-writer, in Dolanog, as it had succumbed in order to avoid the Welsh people's wrath. But it then came to light that Liverpool had never intended to drown that valley at all. It was all a ploy, so that they could quietly drown Cwm Celyn, hoodwinking the nation in the process. So it was decided to place a dam across the Tryweryn river and the valley of Celyn.

Wednesday, 21 November, 1956, two buses were organized on the day Liverpool City Council was to discuss the drowning. I decided not to attend school that day. I just had to go to Liverpool to protest against their insane plan. I started walking from Fron-Goch. About half way to Celyn, a car with two Englishmen in it stopped to ask me where I was going. I replied that I was going to Liverpool on the bus 'to show my support.' Out came the camera. I found myself in one of the daily English newspapers the following day with words to the effect: 'Elwyn Edwards, a thirteen year old schoolboy walks seven miles to the village of Capel Celyn to catch the bus

'Elwyn Edwards, a thirteen year old schoolboy walks seven miles to the village of Capel Celyn to catch the bus that takes the villagers of the doomed valley to Liverpool to protest against the drowning of their homes.' Celwydd noeth oedd y saith milltir, wrth gwrs.

Cawsom ein hebrwng drwy'r ddinas gan yr heddlu. Yr hyn sydd wedi glynu yn y cof yw bod rhai o hen wragedd mantach y lle yn ein gwylio ar ochr y strydoedd ac yn gweiddi a phoeri arnom ac yn ein diawlio a'n galw'n bob enw a ninnau'n gorymdeithio gyda'n baneri.

Roeddwn yn mynychu Ysgol Tŷ Tan Domen, Y Bala, a thradwy'r brotest galwodd y Prifathro arnaf o'r llwyfan yn y gwasanaeth boreol i mi fynd i'w ystafell. Nid oeddwn yn barod am yr hyn oedd yn fy nisgwyl. Daeth i mewn gyda'i gansen yn ferw yn ei ddwrn Prydeinllyd gan weiddi rhywbeth yn Saesneg am 'golli'r ysgol i fynd i Lerpwl i wastraffu amser ac i brotestio yn erbyn boddi rhyw hen le sâl fel Cwm Celyn.'

Os y bu'r bygythiad i foddi'r cwm blannu hedyn cenedlaetholdeb ynof, bu i'r gansen honno ei feithrin yn eginyn ir nad oedd pall ar ei dyfiant.

Aeth y gwaith yng Nghelyn rhagddo. Dechreuwyd codi'r argae ger Tyddyn Bychan. Nid oedd sôn o gwbl am y Tyrpeg lle magwyd fy nhaid, dim ond ambell i faen lle bu. Gadawyd sylfaen tŷ Hafod Fadog oherwydd ei gysylltiad gyda'r Crynwyr. Gosodwyd slabiau concrit ar y cae lle roedd eu mynwent yn dynodi'r ffaith, yn Saesneg wrth gwrs, mai yno oedd eu claddfa.

Dinistrwyd Y Garnedd Lwyd yn llwyr, doedd yno ddim byd i ddangos fod yno ffermdy wedi bod ar y safle. Felly hefyd Coed y Mynach a'r Ddôl Fawr, ond roedd Cae Fadog ar ei draed bryd hynny. Pentwr o gerrig oedd y Gelli, wedi ei chwalu. Ysgerbydau oedd yr Ysgol, y Capel, ffermdy Tŷ'n

that takes the villagers of the doomed valley to Liverpool to protest against the drowning of their homes.' The seven miles was a blatant lie, of course.

We were escorted through the city by the police. The memory that has prevailed is that of the toothless old women watching us on the side streets, shouting and spitting and cursing us, calling us all sorts of names as we marched with our placards.

I was a pupil at Ysgol Tŷ Tan Domen, Y Bala and three days following the protest, the Headteacher, during the morning service, called me from the stage, ordering me to go to his office. I wasn't prepared for what awaited me. He entered with his cane raging in his British fist, shouting something in English about 'missing school to go to Liverpool to waste time to protest against the drowning of a shabby place like Cwm Celyn.'

If the threat to drown the valley had planted in me a seed of nationalism, it was that cane that nurtured it into a flourishing germ that could not be blighted.

The work at Celyn went ahead. The building of the reservoir started near Tyddyn Bychan. There was no sign at all of Y Tyrpeg where my grandfather had been raised, only a few stones where it used to be. The foundations to Hafod Fadog were kept because of its association with the Quakers. Some concrete slabs were placed on the field, where the graveyard stood, indicating, in English of course, that it had once been a burial ground.

Garnedd Lwyd was completely annihilated, nothing remained to indicate that a farmhouse had once stood there. Such was the case with Coed y Mynach and Ddôl Fawr, but Cae Fadog was still standing at that point. Gelli was just a pile of scattered stones. The School, Chapel, Tŷ'n y

y Bont, y Siop a'r Llythyrdy a thai eraill y pentref. Cludwyd meini'r adeiladau a'r tai i gyd i'r argae. Roedd y loriau mawr yn gwibio ar hyd y ffordd yn cario graean o fferm Gwern Genau i lenwi'r argae. Darganfyddodd Lerpwl bod yno ddyfnder mawr ohono ar y fferm ond ni ddatgelwyd hyn i Mr C. O. Jones y perchennog, wrth gwrs, a chollodd filoedd lawer o arian.

Mae un achlysur wedi glynu yn y cof. Gwyliau'r banc oedd hi, ac euthum am dro ar hyd y ffordd a adeiladwyd o'r newydd ar y llethrau uwchben y cwm. Yr hyn a'm tarodd oedd y distawrwydd llethol. Nid oedd yr un goeden yn sefyll, yr un gwrych, a'r coed cyll cnydiog ger Y Garnedd Lwyd, lle casglem y cynhaeaf yn flynyddol, i gyd wedi eu torri a dim ond y boncyffion oedd ar ôl.

Nid oedd yno adeilad i'w weld yn unman. Chwalwyd cymdeithas a diwylliant a ffordd o fyw canrifoedd oed gan drachwant cynhenid y Sais. Roedd y lle i gyd fel powlen enfawr a'r distawrwydd yn frawychus. Dim symudiad o fath yn y byd, yr un brefiad, yr un aderyn yn pyncio, dim ond y tawelwch ffrwydrol drwy'r holl gwm, fel pe bai angau wedi ysgubo drwyddo a difa popeth o'i flaen.

Bont farmhouse, the Shop and Post Office and the rest of the village houses were skeletons. The stones from all the buildings and houses were transported to the reservoir. Large lorries darted along the roads carrying gravel from Gwern Genau farm to fill the reservoir. Liverpool discovered there was a depth of it on the farm but didn't disclose this to Mr C. O. Jones the owner, of course, and he missed out on thousands of pounds in compensation.

One event has stuck in my memory. It was a bank holiday, and I went for a walk along the road that was newly built on the valley's hillside. What struck me was the overwhelming silence. There stood not one tree, not one hedge, and the fruitful hazel trees near Y Garnedd Lwyd, where we used to gather the harvest annually, had all been cut down and only their stumps remained.

A centuries old community, culture and way of life had been destroyed by the Englishman's inherent greed. The whole place was like a large bowl and the silence was dreadful. There was no movement of any sort, not one bleat, not one bird trill, only an explosive silence through the whole valley, as if death itself had swept through it and devastated everything in its path.

Trigolion Capel Celyn cyn cychwyn ar y daith i Lerpwl, Tachwedd 21, 1956. Gwelir Elwyn Edwards, yr ail o'r chwith yn y rhes flaen.

The inhabitants of Capel Celyn before their journey to Liverpool, 21 November, 1956. Elwyn Edwards is the second from the left in the front row.

(Casgliad Ffotograffig Geoff Charles, Llyfrgell Genedlaethol Cymru / The Geoff Charles Photographic Collection, The National Library of Wales)

Dymchwel Caefadog, Hydref 1964. Mae'r llyn yn prysur lenwi.

Demolition of Caefadog, October 1964. The lake is steadily filling up.

(Casgliad Ffotograffig Geoff Charles, Llyfrgell Genedlaethol Cymru /
The Geoff Charles Photographic Collection, The National Library of Wales)

Emyr Llewelyn

Fe ddes i Gwm Tryweryn gyntaf pan oeddwn yn fyfyriwr ifanc yng Ngholeg Aberystwyth pan oedd y gwaith ar ei hanner, ond roedd yr ysgol fach yn dal ar agor. Cefais y fraint o siarad â'r athrawes a'r plant bach. Yr ymweliad hwnnw a'm hysbrydolodd i fynd i Dryweryn wrth i mi sylweddoli bod y cyfan yn mynd i gael ei chwalu a'r gymdeithas glos a'r plant bach yn cael eu dirweiddio.

Ymhlith y plant roedd bachgen bach o'r enw Tryweryn. Fe'm trawodd beth fyddai ystyr yr enw hwnnw a roddwyd arno yn y dyfodol – ai symbol o daeogrwydd, neu enw fyddai'n symbol o bobl yn sefyll dros yr hyn oedd yn iawn? Dyna'r eiliad y penderfynais weithredu er mwyn gwneud yr enw Tryweryn yn enw y medrai'r plentyn bach fod yn falch ohono.

Carwn dalu teyrnged i Elizabeth Watkin Jones a Phwyllgor Amddiffyn Capel Celyn a weithiodd mor galed i achub y cwm. Na foed i'w henwau fyth fynd yn angof. Nhw oedd gwir arwyr Tryweryn ac oni bai am eu gwaith, ni fyddai neb arall wedi codi llais yn erbyn yr hyn oedd yn digwydd.

Un o'r golygfeydd tristaf i mi weld erioed oedd lluniau o bobl Tryweryn druain yn gorymdeithio yn y glaw drwy strydoedd Lerpwl i geisio perswadio cyngor y ddinas i beidio boddi eu cartrefi. Cawsant eu gwawdio a'u gwatwar. Bûm yn edrych unwaith eto ar eu lluniau a gweld Eurgain Prysor Jones yn dal poster yn protestio er mai merch fach iawn ydoedd.

I first came to Tryweryn as a young student in Aberystwyth when the work was half completed, but the school was still open. I had the privilege of speaking with the teacher and the children. It was that visit that inspired me to go to Tryweryn as I realised that it was all going to be devastated and that the close community and the children were to be uprooted.

Amongst the children was a boy named Tryweryn. I wondered what significance would that name have in the future – a symbol of servility, or a name that would become the symbol of a people standing up for that which was just? It was in that instance that I decided to act in order that the name Tryweryn would be a name the little boy could be proud of.

I would like to pay tribute to Elizabeth Watkin Jones and the Defence Committee of Capel Celyn who worked so hard to save the valley. Never should their names be forgotten. They were the real heroes of Tryweryn and if it wasn't for their efforts, nobody else would have raised a voice to oppose the scheme.

One of the saddest scenes I have ever seen was the one of the poor people of Tryweryn marching in the rain through the streets of Liverpool in an attempt to persuade the City's Council not to drown their homes. They were derided and mocked. I have been looking again at the pictures and seeing Eurgain Prysor Jones holding a poster protesting even though she was only a very small child.

Yn ddiweddar fe ddes i'n ôl i Dryweryn am y tro cyntaf ers hanner can mlynedd. Wrth deithio fyny mewn car gyda chriw camera oedd yn cofnodi fy ymateb, yr hyn oedd yn llanw fy meddwl oedd edmygedd at y bobl wâr a diwylliedig a gafodd gymaint o gam pan foddwyd Tryweryn.

Wrth fynd heibio mynwent Llanycil, fe gofiais am englyn Geraint Bowen er cof am Dafydd Roberts, Cadeirydd Pwyllgor Amddiffyn Capel Celyn, a gladdwyd yn y fynwent.

O'i mewn, ac ar ei meini, – enwau dewr
　　A dorrwyd lle cysgi;
　　O enwau dewr, dy enw di,
　　Y dewraf, gaiff ei dorri.

Ofnaf i mi dorri i lawr yn llwyr a chrio wrth geisio adrodd yr englyn ac er rhoi cynnig arni fwy nag unwaith, methais, a bu Eifion Glyn yn ddigon caredig i beidio dangos y darn hwnnw o ffilm ar y teledu.

Tebyg yw'r teimlad heddiw wrth ysgrifennu'r geiriau hyn wrth gofio'r cam a wnaed â phobl ddiniwed ac addfwyn Cwm Celyn.

I recently returned to Tryweryn for the first time in half a century. As I was travelling north in a car with a camera crew who were recording my response, my mind was filled with admiration for the civilized and cultured people who suffered such injustice when Tryweryn was drowned.

As we passed Llanycil cemetery, I remembered an englyn by Geraint Bowen in memory of Dafydd Roberts, Chairman of Capel Celyn Defence Committee, who is buried in the graveyard.

These walls, these stones where you sleep – bear the marks
　　Of the brave remembered;
　　But of all brave names carved to keep
　　None but yours is cut so deep.

I'm afraid that I broke down completely and cried trying to recite the englyn, and even though I tried numerous times, I failed and Eifion Glyn was kind enough not to show that piece of film on television.

My feelings are very similar today as I write these words remembering the injustice forced on the innocent and gentle people of Cwm Celyn.

Dau ddisgybl yn Ysgol Capel Celyn yn chwarae â lorïau.

Two of Ysgol Capel Celyn's pupils playing with lorries.

(Casgliad Ffotograffig Geoff Charles, Llyfrgell Genedlaethol Cymru / The Geoff Charles Photographic Collection, The National Library of Wales)

CONSTRUCTION OF THE

TRYWERYN RESERVOIR

EMPLOYING AUTHORITY :- HANDS OFF

LIVERPOOL CORPORATION

CONTRACTOR :-

TARMAC CIVIL ENGINEERING LTD.

LONDON & WOLVERHAMPTON

WHY NOT DROWN LIVERPOOL ?

Llun o'r awyr o Lyn Celyn yn dangos maint y llyn ac felly'r holl dir a gollwyd.

Aerial view of Llyn Celyn showing the size of the lake and all the land lost.

Arwydd uniaith Saesneg yn atgoffa trigolion Capel Celyn am eu tranc a thŵr yr argae islaw'r arwydd.

English only sign reminding Capel Celyn's inhabitants of their fate and the reservoir's tower below the sign.

(Llun gan / Photo by
Owen Hedd Davies)

MURLUNIAU
GWANWYN A HAF 2019

MURALS
SPRING AND SUMMER 2019

Chwith i'r dde / left to right: Caleb Sion Davies, Grisial Hedd Roberts, Iestyn Rhys Phillips, Elfed Wyn Jones, Osian Hedd Harries

(Llun gan / Photo by Caleb Sion Davies)

LLANRHYSTUD
CHWEFROR / FEBRUARY 2019

Pan fentrais o'r fferm y noson honno, doeddwn i ddim yn sylweddoli y byddai'r weithred am godi gymaint o fflam yng nghalonnau'r Cymry. Dim ond awr ynghynt roeddwn i'n swatio ger y cyfrifiadur yn siarad gyda fy nghyfaill Hedd, yn trafod y difrod i'r murlun. Doedd o ddim wedi croesi fy meddwl mai ni fyddai'n trwsio'r murlun, tan i Hedd ddweud ei fod o'n bwysig i ni ymateb yn gyflym a dangos na fydden ni fel Cymry'n derbyn difrod o'r fath.

Penderfynon ni gyfarfod wrth y murlun gyda phaent a brwshys o fewn dwy awr. Wrth godi fy ffrindiau, Grisial, Iestyn a Caleb o Aberystwyth, a phigo'r brwshys hefyd, roedd y teimlad o gyffro a dyletswydd yn cryfhau. Erbyn i ni gyrraedd y murlun a dechrau peintio roedd gwefr arbennig yn cydio gyda phob symudiad o'r brwsh. Daeth Aron hefyd atom i helpu i orffen peintio'r murlun yn goch. Penderfynon ni adael y murlun am un diwrnod iddo sychu'n iawn, yna ychwanegu'r geiriau mewn gwyn y diwrnod wedyn.

Aethom i Dafarn y Llew Du yn Llanrhystud i gysgodi a chynhesu. Cawsom groeso mawr gan y perchennog a'r bobl leol, oedd yn gwybod yn iawn beth oedden ni wedi bod yn ei wneud wrth edrych ar ein dwylo a'n dillad coch! Cawsom fwyd a diod ganddo (a brecwast y bore wedyn) i ddangos ei werthfawrogiad.

Fore trannoeth, daeth hi'n amlwg ein bod ni wedi

When I ventured from the farm that night, I didn't realise that our action would ignite such a flame in the hearts of the Welsh people. An hour previously, I had settled in front of my computer and was talking to my friend, Hedd, discussing the mural. It hadn't crossed my mind that we would be the ones repairing the mural until Hedd remarked how important it was to respond quickly and to demonstrate that the Welsh people wouldn't accept such vandalism.

We decided to meet by the mural with paint and brushes within two hours. As I picked up my friends, Grisial, Iestyn and Caleb from Aberystwyth, and the brushes, the excitement and feeling of duty intensified. By the time we met by the mural and started painting we felt a special thrill with every stroke of the brush. Aron joined us too to help complete the painting of the mural red. We decided to leave the mural for one day so that it could dry completely and to add the words in white the following day.

We went to the Llew Du pub in Llanrhystud to shelter and we received a warm welcome from the landlord and the local people, who knew very well what we had been doing from our red hands and clothes! We were given food and drink (and breakfast the following morning) to show his appreciation.

In the morning, it became apparent that we had touched the soul of the nation, with everyone from

cyffwrdd ag enaid y genedl, gyda phawb o Fôn i Fynwy yn gorfoleddu fod y murlun yn cael ei ailbeintio. Aethom ati i beintio'r llythrennau'r noson honno, ac roedd pob car oedd yn pasio'n canu corn i ddathlu gyda ni.

Rwy'n teimlo braint cael bod gyda'n ffrindiau'r noson honno. Fe dynnodd y profiad y genedl yn agosach at ei gilydd. Newidiodd y profiad fy ffordd o feddwl, gan wneud i mi sylweddoli bod dyletswydd ar bob un ohonom i fod ar flaen y gad pan mae difrod a sarhad yn digwydd i'n cenedl ni. Credaf fod pobl Cymru wedi sylweddoli hyn y noson honno hefyd.

Er bod y murlun wedi'i ddifrodi eto wedyn, ac i ninnau ac eraill o lefydd fel Caerfyrddin a Llanelli ei atgyweirio a'i ailadeiladu, rydw i'n cael y teimlad fod Cymru'n fwy parod i sefyll ar ei thraed a brwydro'n ôl ers y noson oer honno'n ôl ym mis Chwefror.

Elfed Wyn Jones

Anglesey to Monmouth rejoicing that the mural was being repainted. We painted the letters that evening, and every car that passed was celebrating with us by sounding their horn.

I feel privileged to have been with my friends that evening. The experience brought the nation closer together. It changed my way of thinking, forcing me to realise that we all have a duty to come to the forefront when our nation faces damage and insult. I think the Welsh people realised this that evening too.

Even though the mural was damaged again, and that we and others from places such as Carmarthen and Llanelli repaired and re-built it again, I get the feeling that Wales is more willing to stand on its own feet and fight back ever since that cold February night.

Elfed Wyn Jones

LLANRHYSTUD
EBRILL / APRIL 2019

Ailgodi'r wal.

Re-building the wall.

(Llun gan / Photo by Owen Hedd Davies)

(Llun gan / Photo by Owen Hedd Davies)

(Llun gan / Photo by Owen Hedd Davies)

(Llun gan / Photo by Susanne Ryder)

LLANRHYSTUD
11 MAI / MAY 2019

Dwi o Lanrhystud a braint oedd cael fy magu mor agos at furlun sydd mor bwysig i'n hanes ni. Roedd y ffaith bod y murlun wedi ei fandaleiddio ddwywaith, ychydig fisoedd cyn ein priodas, yn brofiad anodd iawn i mi. Dwi'n byw yng Nghaernarfon ac felly methais fod yn rhan o'r bwrlwm a'r ymateb chwyrn at yr holl beth yn ôl adref. Cododd y weithred ofnadwy yma broffil y murlun ledled Cymru. Dywedodd rhywun yn y gwaith, 'Dylsat ti gael llun wrth wal Tryweryn ar ddiwrnod dy briodas!'

Mae Arran, fy ngŵr, o deulu cwbl Seisnigaidd, ond cafodd ei addysg drwy gyfrwng y Gymraeg. Mae ein hunaniaeth Gymraeg yn hynod bwysig i'r ddau ohonom a pheth naturiol i ni oedd cael tynnu llun o flaen y murlun ar ddiwrnod ein priodas. Roedd y ffotograffydd yn holi, 'Why here? Why is the wall here in Llanrhystud?' Canwyd sawl corn car wrth basio'r fangre.

Ffion Lewis

I'm from Llanrhystud and it's a privilege to have been raised so close to such an important mural for our history. Seeing the mural vandalised twice, a few months before our wedding, was a very difficult experience for me. I live in Caernarfon and therefore couldn't participate in the excitement and fierce response to the whole affair back home. This terrible act raised the mural's profile throughout Wales. Someone at work said, 'You should have your picture taken by the Tryweryn wall on your wedding day!'

Arran, my husband, is from an English family, but received his education through the medium of Welsh. Our Welsh identity is very important to both of us and it was natural for us to have our picture taken in front of the mural on our wedding day. The photographer asked, 'Why here? Why is the wall here in Llanrhystud?' Many a car beeped their horn as they passed the mural.

Ffion Lewis

Huw Stephens (mab y diweddar Meic Stephens) y tu allan i 76 Stryd Nolton ym Mhen-y-bont ar Ogwr.

Huw Stephens (son of the late Meic Stephens) outside 76 Nolton Street in Bridgend.

(Llun gan / Photo by Vivienne Jenkins)

I
PEN-Y-BONT AR OGWR / BRIDGEND

Roedd Dad yn byw mewn tŷ o'r enw Garth Newydd ym Merthyr Tudful yn 1963. Gyda'i ffrind Rodric Evans yn gyrru, a dau ffrind yng nghefn y car, aethant liw nos i Lanrhystud i beintio'r geiriau ar y wal. Er yr holl lyfrau gyhoeddodd fy nhad yn ystod ei fywyd gweithgar, dywedodd mai dyma'i eiriau pwysicaf. Ymfalchïai yn y modd y goroesodd y geiriau, a thrwy hynny hefyd, hanes tranc Capel Celyn.

Rhyw chwe mis ar ôl i ni golli Dad, bu ymgais i ddifrodi'r wal ar ddechrau 2019, a deffrwyd diddordeb newydd yn y murlun. Roedd gweld yr ymateb ledled Cymru yn codi calon. Mae gymaint o hanes, atgofion, pryderon cyfoes a phryderon am y dyfodol yn y geiriau; geiriau sy'n llawn arwyddocâd. Dyma eiriau sydd bellach wedi eu peintio mewn ysgolion, ar draethau, ar waliau tai a siopau di-ri. Geiriau sydd yn codi cywilydd am yr hyn ddigwyddodd, ond geiriau sydd hefyd yn ein hatgoffa o fregusrwydd y Gymraeg, a diymadferthedd ein gwlad a'n pobl.

Roedd Dad yn gredwr mawr mewn gwaed newydd yn dod a rhoi gwedd ac egni newydd i bethau pwysig. Heb os, byddai wedi bod wrth ei fodd yn gweld y murluniau newydd sydd wedi eu dal ar gamera a chan lygaid Cymry ar hyd a lled y wlad.

Hir oes i'r waliau!

Huw Stephens

My father lived in a house called Garth Newydd in Merthyr Tydful in 1963. With his friend Rodric Evans driving, and two other friends in the back of the car, they went in the dark of night to Llanrhystud, to paint the words on the wall. Despite all the books my father published during his industrious life, he said that these were his most important words. He took pride in the way the words survived, and through them, the story of Capel Celyn's fate.

About six months after we lost Dad, there was an attempt to destroy the wall, early in 2019, and a new interest was kindled in the mural. Seeing the response throughout Wales was heartening. There is so much history, memories, contemporary anxieties and fears for the future within these words; words that are full of significance. These words, moreover, have been painted in schools, on beaches, on house walls and numerous shops. Words that fill us with shame about what happened, but words that remind us also of the vulnerability of the Welsh language, the subjugation of our country and our people.

Dad was a great believer in new blood bringing new insight and energy to important matters. Without a doubt, he would have been delighted to see the new murals that have been captured on camera, and by people throughout Wales.

Long live the walls!

Huw Stephens

Adam Price, Arweinydd Plaid Cymru ac Aelod Cynulliad Dwyrain Caerfyrddin a Dinefwr.

Adam Price, Leader of Plaid Cymru and Assembly Member for Carmarthen East and Dinefwr.

(Llun gan / Photo by Keri Lewis)

2

SWYDDFA PLAID CYMRU, RHYDAMAN
PLAID CYMRU OFFICE, AMMANFORD

Y ffordd orau i ymateb i'r difrod i furlun Tryweryn yw i ni weld 100 o furluniau newydd yn codi ym mhob cwr o'r wlad dros Gymru Rydd.

Adam Price

The best way to respond to the damage to the Tryweryn mural is to see 100 new murals appearing all over the country in support of a Free Wales.

Adam Price

(Llun gan / Photo by Adam Phillips)

3

A494 GLANNAU DYFRDWY
A494 DEESIDE

Ro'n i'n credu mai'r ffordd orau o ymateb i'r sefyllfa yma oedd ailgreu'r murlun ymhob man; eu peintio nhw ym mhob tref a phentref ledled Cymru.

Dewisais i beintio gyferbyn â lle'r oedd gwesty'r Gateway to Wales, Glannau Dyfrdwy. Daeth yr heddlu i weld beth o'n i'n wneud. Roedd yr ymateb yn grêt a phobl yn bîpio i ddangos cefnogaeth.

Dwy awr yn ddiweddarach cyrhaeddodd yr *Highways* a'i ailbeintio fo, er bod yr heddlu wedi dweud wrtha i, fod o DDIM yn *distraction*. Dywedais wrth y *Daily Post*:

'If that sign said Daz loves Jane, it would still be there five years later. Or if Banksy had drawn on that boulder, it would be protected with fencing. But this one was covered within less than two hours of it being painted.' (*Daily Post*, 18 Ebrill 2019)

Daliwch ati, bawb!

Adam Phillips

I thought that the best way of responding to this situation was to re-create the mural everywhere; to paint them in every town and village throughout Wales.

I chose to paint opposite to where the Gateway to Wales Hotel, Deeside, used to be. The police came to see what I was doing. The response was great with people beeping to show their support.

Two hours later the Highways arrived and repainted it, even though the police had said that it WASN'T a distraction. I told the *Daily Post*:

'If that sign said Daz loves Jane, it would still be there five years later. Or if Banksy had drawn on that boulder, it would be protected with fencing. But this one was covered within less than two hours of it being painted.' (*Daily Post*, 18 April 2019)

Keep at it, everyone!

Adam Phillips

Dei John, ei ferch Erin, ac Al Tŷ Coch.

Dei John, his daughter Erin, and Al Tŷ Coch.

(Llun gan / Photo by Gwenan Jones)

4
BWLCH Y GROES

Mae'r murlun ar dir Tan Bwlch, lle magwyd taid Dei John, a mam yng nghyfraith Dei John sy'n amaethu yno heddiw. Peintiwyd y murlun islaw Pen yr Hen Indian, ar Graig yr Ogof. Mae'r graig rhwng Llanuwchllyn a Llanymawddwy, ffordd Bwlch y Groes. Mae chwedl bod Arthur yn cysgu mewn ogof yn fan hyn. Ryden ni'n honni, hyd y profir yn wahanol, mai hwn yw *Cofiwch Dryweryn* uchaf Cymru.

Roedd fy modryb Glenys yn ferch Y Gelli, Capel Celyn. Bu'n byw yng Nghapel Celyn gyda'i phlant a Ieu ei gŵr hyd nes y'u gorfodwyd i adael. Ond ni adawodd enaid Glen Gapel Celyn. Roedd sgwrs hiraethus Glen yn dechrau yng Nghelyn ac yn gorffen yng Nghelyn hyd ei dyddiau olaf. Yn gyntaf boddwyd eu llais, ac wedyn eu cwm.

Cynefin dy Werin di
Heb waedd yn storm y boddi.

Al Tŷ Coch

The mural is on Tan Bwlch's land where Dei John's grandfather was raised and where Dei John's mother-in-law still farms today. The mural was painted below Pen yr Hen Indian, on Craig yr Ogof. The rock is between Llanuwchllyn and Llanymawddwy, on the Bwlch y Groes road. There is a legend that Arthur is sleeping in a cave here. We claim, until proven otherwise, that this is the highest *Cofiwch Dryweryn* in Wales.

My aunty Glenys, was a daughter of Y Gelli, Capel Celyn. She lived in Capel Celyn with her children and Ieu her husband, until they were forced to leave. But Glen's soul never left Capel Celyn. Glen's nostalgic conversation started in Celyn and finished in Celyn, until her final days. First they drowned their voices and then they drowned their valley.

Your People's habitat and home
Voiceless in the drowning storm.

Al Tŷ Coch

(Llun gan / Photo by Heledd Owen)

5
CLYDACH

Dychmygwch yr olygfa. Liw nos, yn ddigon pryderus, daeth criw o ferched ifanc at ochr ffordd brysur yng nghyffiniau Abertawe. Roedd pob un ohonynt wedi eu cynhyrfu a'u hysbrydoli gan y difrod a wnaethpwyd i'r arwydd eiconig ar y mur i'r gogledd o Lanrhystud, ac roeddent ag awch i gyfrannu ymhellach o fewn eu cymunedau lleol, yn ymwybodol o'r murlun ganol dinas oedd yna eisoes. Roeddent wedi eu harfogi â photiau paent. Gyda'r llef 'I'r Gad!' a dagrau coch y muriau yn adlewyrchiad o waedlif ein gwlad, meddylient, sut y gallent eistedd yng nghyfforddusrwydd eu cartrefi yn bodio'u ffonau bach wrth wylio eraill ar draws gwlad yn gweithredu ac yn cyfrannu at yr ymgyrch dyngedfennol hon? Dyma ymgyrch i'n hatgoffa fod Cymru yn ddi-rym a bod angen newid hynny. Dyma'u cyfle hwy i ddangos eu hochr.

Heledd Owen

Imagine the scene. In the dark of night, and quite anxious, a crowd of young women went to a busy roadside in the vicinity of Swansea. Each one had been rattled and inspired by the destruction to the original iconic mural to the north of Llanrhystud, and had an appetite to contribute further within their communities, already aware of the existing mural in the city centre. They were armed with paint pots. With the cry 'I'r Gad!' and the walls' red tears a reflection of our country's flow of blood, they thought how could they just sit in the comfort of their homes, scrolling through their mobile phones, whilst watching others across the nation actively contributing to this critical campaign. This campaign reminds us that Wales remains powerless and that change is necessary. This was their opportunity to show their support.

Heledd Owen

(Llun gan / Photo by Farrow and Fall)

6
MACHYNLLETH

Doedd dim paent rhatach i'w gael ym Machynlleth y p'nawn hwnnw, felly talwyd £20 yr un am duniau paent coch Farrow & Ball. Roedd brwshys a rolyrs Pound Shop dipyn rhatach. Dywedon ni mai peintio llofft yr hogia yn lliwiau Lerpwl oedd y bwriad.

Mae Pen Graig yn lle da; roedd rhywun wedi bod yno'n sgwennu *Cymru Rydd* a *Lone Wolf* tua'r adeg pan gladdwyd Glyn Corris, aelod o'r FWA. Wedi iddi dywyllu, aeth criw ohonom i beintio'r graig gynnes yn goch a chael paent ar ein dwylo, ein dillad a'n ffonau. Gwelem gysgodion yng ngheginau'r tai islaw. Golau llofftydd yn diffodd o un i un. Ambell i gar yn mynd a dod. Os gwelodd rhywun fflachiadau ein ffonau, wnaeth neb ffonio'r heddlu. Am ein gwelyau wedyn a gadael i'r graig sychu. Larwm am 3.30 y.b. a nôl â ni. Pan orffennwyd *Cofiwch Dryweryn*, dyma gamu'n ôl ac ychwanegu *Cymru Rydd*. Roedd rhan o'n hanes ni ar y graig.

Farrow and Fall

There was no cheaper paint in Machynlleth that afternoon, so £20 a pot was paid for red Farrow & Ball paint. The Pound Shop's brushes and rollers were much cheaper. We said that we intended painting the boys' bedroom in Liverpool's colours.

Pen Graig is ideal; somebody had painted *Cymru Rydd* and *Lone Wolf* there about the time Glyn Corris, a member of the FWA, was buried. Once it was dark, a gang of us went to paint the warm rock red and our hands, clothes and phones were covered in paint. We could see shadows in the kitchens below. Bedroom lights switching off one by one. The odd car passing. If anyone saw the flash of our phones, nobody phoned the police. Off we went to bed to leave the rock to dry. The alarm was set at 3.30 a.m and we returned. When *Cofiwch Dryweryn* was completed, we stepped back and added *Cymru Rydd*. A part of our history was on the rock.

Farrow and Fall

Aelodau Cyngor Cymreictod, Ysgol Eglwyswrw.

Ysgol Eglwyswrw's Council for Welshness.

(Llun gan / Photo by Sioned Phillips)

7

YSGOL EGLWYSWRW

Credwn yn gryf y dylsem gofio yr hyn ddigwyddodd yng Nghapel Celyn pan foddwyd y cwm er mwyn cyflenwi dŵr i ddinas Lerpwl. Rydym ni wedi bod yn darllen y nofel *Ta-Ta Tryweryn* ac mae'r hyn sydd yn digwydd ar draws Cymru yn atgoffa ni o'r difrod a wnaed i gartrefi ond yn bwysicach i gymuned Gymreig Capel Celyn. Mae angen i ni gofio am hyn a dangos i bobl y byd, dyw hi ddim yn deg difrodi cymunedau Cymraeg.

Efa Lewis, Cadeirydd Cyngor
Cymreictod, Ysgol Eglwyswrw

Dwi'n credu'i bod hi'n syniad gwych bod pobl ar draws Cymru yn ailgreu murlun enwog *Cofiwch Dryweryn*. Mae hyn yn dangos ein bod yn falch o'n hanes a'n Cymreictod. Roedden ni am ddangos ein cefnogaeth i'r bobol ifanc wnaeth drwsio'r murlun iawn.

Ifan James, Cadeirydd Cyngor
Cymreictod, Ysgol Eglwyswrw

We strongly believe that we should remember what happened in Capel Celyn when it was drowned to supply water for the city of Liverpool. We have been reading the novel *Ta-Ta Tryweryn* and we are reminded by what is happening all over Wales of the destruction to the homes, but more importantly to the Welsh community of Capel Celyn. We need to remember and to show the people of the world that it isn't fair to destroy Welsh communities.

Efa Lewis, Chairperson of the
Council for Welshness, Ysgol Eglwyswrw

I believe that it is a brilliant idea that people all over Wales are recreating the famous *Cofiwch Dryweryn* mural. This demonstrates our pride in our history and our Welsh identity. We wanted to show our support for the young people who re-built the original mural.

Ifan James, Chairperson of the
Council for Welshness, Ysgol Eglwyswrw

Molly Horan & Dave Parry.

(Llun gan / Photo by Deri Morgan)

8

CHICAGO

Rydw i a rhai aelodau eraill o'r Chicago Taffia yn dod o Geredigion ac wedi gyrru heibio'r arwydd gwreiddiol yn Llanrhystud sawl tro. Fe beintion ni'r murlun yma yn y Pleasant House Pub, 2119 South Halsted Street, Chicago, er mwyn dangos ein cefnogaeth ar ôl gweld y ddau arwydd cyntaf a beintiwyd ym Mhen-y-bont ar Ogwr ac Abertawe yn dilyn y difrod i'r gwreiddiol. Cynigiodd Art Jackson, perchennog Pleasant House, y wal ar gyfer y murlun. Alla i ddim meddwl am leoliad gwell yn Chicago. Mae ardal Pilsen yn adnabyddus am ei murluniau o wahanol genhedloedd ac mae *Cofiwch Dryweryn* yn gweddu'n berffaith i'r lleoliad.

Dave Parry

Myself and quite a few other members of the Chicago Tafia are from Ceredigion, and have driven past the original slogan in Llanrhystud many times. We painted this mural at the Pleasant House Pub, 2119 South Halsted Street, Chicago to show support after seeing the first two signs painted in Bridgend and Swansea following the damage to the original. Art Jackson, the owner of Pleasant House, offered up the space on his wall for the mural. I can't think of a better location in Chicago. The Pilsen area is well known for murals from many different nationalities and *Cofiwch Dryweryn* fits right in with its surroundings.

Dave Parry

Beca Mair Lloyd Percy o flaen cwt lan môr ei mam.

Beca Mair Lloyd Percy in front of her mother's beach hut.

(Llun gan / Photo by Dafydd Rhys Lloyd)

9
TRAETH NEFYN
NEFYN BEACH

Roedd dinistrio wal *Cofiwch Dryweryn* yn wahanol i'r peintio ac ailbeintio sy'n digwydd o dro i dro. Teimlai fel ymosodiad. A phan beintiodd pobl Pen-y-bont eu fersiwn eu hunain, penderfynais fod rhaid i minnau weithredu. Dyma roi pot o baent coch, pot o baent gwyn a brwshys yn y car, gyrru i Nefyn a pheintio *Cofiwch Dryweryn* ar ochr hen gwt lan môr. Do'n i erioed wedi gwneud dim byd tebyg o'r blaen. Ro'n i'n poeni beth fyddai'r ymateb. Ond roedd pawb ar y traeth y bore hwnnw'n gefnogol iawn.

Pam Nefyn? Am mai dyma lle mae gen i wal! Ond mae'n ddyfnach na hynny. Fy nain oedd pia'r cwt. Roedd yn lle bach del, fel pin mewn papur, a dwi'n cofio cael sawl picnic yno'n blentyn. Hen shed ddigon blêr ydi o heddiw, yng nghanol cytiau gwyliau smart, cychod a'r gêr pysgota. Ond i mi, mae'r cwt yn cynrychioli perthynas fy nheulu â'r ardal ers canrifoedd lawer.

Nia Percy

Damaging the *Cofiwch Dryweryn* wall felt different from the occasional painting and re-painting. This felt like an attack. And when Bridgend painted their own version, I decided I had to act. I put a pot of red and a pot of white paint and some brushes in the car, drove to Nefyn and painted *Cofiwch Dryweryn* on the side of an old beach hut. I'd never done anything like this before and was worried about the response. But everyone on the beach that morning was very supportive.

Why Nefyn? Because this is where I have a wall! But it's deeper than that. It was my grandmother's hut. It was a pretty and spotless place and I remember having picnics there as a child. It's quite a shabby old shed today, amongst smart holiday huts, boats and fishing gear. For me, the hut represents my family's relationship with the area for many centuries.

Nia Percy

(Llun gan / Photo by Evan ap Ifor)

10
MERTHYR TUDFUL

Mae'r murlun hwn ar ffordd Bogey, rhwng Merthyr a Bedlinog. Rydyn ni'n hynod falch ohono. Dwi'n ei hoffi oherwydd ei fod wedi cael ei beintio ar fetel sy'n cynrychioli hanes Merthyr fel prifddinas haearn a man geni'r byd cyfoes. Mae'r ardal hon yn bwysig gan mai Merthyr yw calon y chwyldro.

Rob Hughes

This mural is on Bogey road, between Merthyr and Bedlinog. We are very proud of it. I like it because it has been painted on metal which represents Merthyr's history as the iron capital and birthplace of the modern world. This area is important because Merthyr is the heart of the revolution.

Rob Hughes

Aelod Seneddol Plaid Cymru Dwyfor Meirionnydd, Liz Saville-Roberts, yng nghwmni rhai o ddisgyblion Ysgol y Garreg, Llanfrothen, yn Siop a Caffi y Garreg sy'n rhan o Fenter Llanfrothen Cyf.

Liz Saville-Roberts, Plaid Cymru Member of Parliament for Dwyfor Meirionnydd, enjoying the company of some of the pupils of Ysgol y Garreg, Llanfrothen, in the shop and cafe in the village which is part of Menter Llanfrothen Ltd.

(Llun gan / Photo by Alun Roberts)

11
LLANFROTHEN

Da gweld lliwiau ein hanes byw yn llachar ar ddwylo'r sawl sy'n cydio mewn brwsh paent i'w ailgofio. Nid peth glân, gloyw mo hanes, eithr mae'n flêr wrth iddo fynnu cael ei ailddarganfod a'i ailgodi o genhedlaeth i genhedlaeth.

Liz Saville-Roberts

It's great to see our vibrant history glowing in the hands of those who pick up a paint brush so that we can remember anew. History isn't clean and sparkling, but rather quite disorderly as we insist on reviving and rediscovering it from generation to generation.

Liz Saville-Roberts

(Llun gan / Photo by Patrick Soper)

12
HENDY-GWYN AR DAF
WHITLAND

Ym mis Ebrill roeddwn yn gyrru o Sir Benfro i ymweld â fy modryb yng Nghaerdydd. Wrth i mi agosáu at Hendy-gwyn ar Daf, gwelais y murlun hwn ar bont y rheilffordd dros yr A40. Roedd rhaid imi stopio'r car yn syth a thynnu llun.

Pan wnes i yrru heibio'r tro nesaf, roedd *Cofiwch Dryweryn* wedi'i guddio gan haen o baent llwyd, yn anffodus. Dwi'n falch o weld yr ymatebion ffyrnig i'r difrod maleisus i'n mur eiconig; hyd yn oed ar ôl hanner canrif, nid ydym wedi anghofio Tryweryn.

Patrick Soper

In April, I was driving from Pembrokeshire to visit my aunt in Cardiff. As I got nearer to Whitland, I saw this mural on the railway bridge over the A40. I had to stop the car there and then to take the photograph.

When I drove past it the next time, *Cofiwch Dryweryn* had been painted over with grey paint unfortunately. I'm proud to see the furious response to the malicious destruction of our iconic wall; even after half a century, we haven't forgotten Tryweryn.

Patrick Soper

Magi Wynne, Anest Gruffydd, Eurgain Prysor, Lili Morgan, Ela Hughes-Jones, Chloe Davies.

(Llun gan / Photo by Jan Wilson-Jones)

13
YSGOL PENTRECELYN, RHUTHUN

Ychydig o flynyddoedd yn ôl, ceisiodd Cyngor Sir Ddinbych gau ein hysgol ni, ond drwy ymdrechion gwych rhieni, y gymuned leol a'r bargyfreithiwr Gwion Lewis, chafodd yr ysgol mo'i chau. Dwi'n meddwl fod y profiad o brotestio yn erbyn cau Ysgol Pentrecelyn, a'r ansicrwydd a ddaeth yn ei sgil, yn golygu bod y plant wedi uniaethu'n gryf gyda hanes y plant yn Ysgol Capel Celyn. Dwy ysgol fechan debyg iawn, mewn dwy ardal wledig, Gymreig.

Roedd y plant wrth eu boddau'n croesawu Eurgain Prysor, un o blant Capel Celyn, ddaeth i rannu ei phrofiadau hi gyda'r disgyblion, rhieni ac aelodau'r gymuned. Roedd Eurgain Prysor hithau, wedi dotio o weld i'r disgyblion beintio, ar garreg, enw pob fferm a foddwyd yng Nghwm Tryweryn.

Jan Wilson-Jones (Athrawes)

A few years ago, Denbighshire County Council tried to close our school, but following valiant efforts by parents, the local community and the barrister, Gwion Lewis, the school avoided closure. I think that the experience of protesting against closing Ysgol Pentrecelyn, and the uncertainty that it caused, means that the children have identified strongly with the history of the children in Ysgol Capel Celyn. Two very similar schools in two rural, Welsh speaking areas.

The children were delighted to welcome Eurgain Prysor, one of Capel Celyn's children, who came to share her experiences with the pupils, the parents and members of the local community. Eurgain Prysor was also delighted to see that the pupils had painted, on stones, the names of each farm drowned in the Tryweryn valley.

Jan Wilson-Jones (Teacher)

Ronny Oner (Oner Signs) & Huw Stephens.

(Llun gan / Photo by Gwion Hallam)

14
CAERDYDD
CARDIFF

Roedd yr enw Tryweryn yn gyfarwydd i mi yn ystod fy magwraeth ym Mhentre'r Eglwys. Ond dim ond pan glywais i gân y Manics, 'Ready For Drowning', a phan ddes i'n ffrindiau gyda Huw Stephens yn sgil y cariad oedd gan y ddau ohonon ni at gerddoriaeth a chelf, y dechreuais i werthfawrogi trasiedi ddynol Tryweryn ac arwyddocâd diwylliannol wal deyrnged *Cofiwch Dryweryn*.

Dwi wedi bod yn goruchwylio'r Millennium Walkway Graffiti 'Hall of Fame' ers sawl blwyddyn ac wedi ei weld yn tyfu'n ganolbwynt i fynegiant celf gyfoes ac i falchder cenedlaethol a diwylliannol. Felly, pan ofynnodd Huw Stephens i mi beintio murlun yn deyrnged i Dryweryn, fe atebais 'Ie' cyn iddo orffen ei frawddeg!

Gyda balchder mawr y talais fy ngwrogaeth i dad Huw ac i furlun *Cofiwch Dryweryn*. Gobeithio y gall ysbrydoli cenhedlaeth newydd i fynegi eu cariad at eu cenedl a'i hanes drwy gelf graffiti.

Ronny Oner

Growing up in Church Village, the name Tryweryn was familiar throughout my childhood. But it wasn't until I heard the Manics' song 'Ready For Drowning' and became friends with Huw Stephens through our mutual love of music and art, that I really began to appreciate the human tragedy of Tryweryn and the cultural significance of the *Cofiwch Dryweryn* remembrance wall.

I've been overseeing the Millennium Walkway Graffiti 'Hall of Fame' for several years and have watched it grow into Cardiff's focal point for the expression of modern art, national and cultural pride. So when Huw asked me to paint a mural as a homage to Tryweryn, I said 'Yes' before he had finished his sentence!

It was with tremendous pride that I paid my own respects to Huw's father and the *Cofiwch Dryweryn* mural. I hope it can inspire a new generation to express their love for their nation and its history through graffiti art.

Ronny Oner

(Llun gan / Photo by Arfon Griffiths)

15
PENIEL, LLANUWCHLLYN

Pan ofynnwyd i mi a fyddwn yn hoffi swydd dros dro yn yr Archifdy yn Nolgellau yn catalogio un casgliad penodol, roeddwn wrth fy modd. Ond nid mater bach oedd mynd ati i gatalogio'r casgliad oedd dan sylw. Papurau Corfforaeth Lerpwl oedden nhw, papurau yn cofnodi, gam wrth gam, y broses faith o benderfynu ar safle argae a mynd ati yn systematig i feddiannu ardal a'i boddi.

Gwaith Archifydd yw mynd ati i ddisgrifio casgliad yn gryno a manwl gywir. Tydi emosiwn ddim i fod yn rhan o'r broses, ond yn yr achos hwn roedd hi'n anodd, yn amhosibl a deud y gwir, peidio â theimlo i'r byw. Roedd gweld y drasiedi bersonol a brofodd cymuned gyfan o bobl yn araf ddatblygu a'u sylweddoliad hwythau nad oedd troi yn ôl i fod, yn dorcalonnus. Mae'n gasgliad amhrisiadwy ond peidiwch â mynd i bori ynddo heb eich paratoi eich hun yn ofalus iawn.

Beryl Griffiths

When I was asked if I would like a temporary job in the Archives office in Dolgellau cataloging a specific collection, I was delighted. But it was hardly a walk in the park to catalogue this particular collection. The collection consisted of the Liverpool Corporation's Papers, papers recording, step by step, the arduous process of deciding on the location for a reservoir and the systematic taking over and drowning of the area.

An Archivist's job is to describe a collection succinctly and accurately. Emotion should not be part of the process, but in this case, it was difficult, impossible to be honest, not to empathise deeply. Seeing the personal tragedy of a whole community of people unfolding slowly, and their realisation that there would be no turning back, was heartbreaking. It is a priceless collection, but don't go browsing in it without preparing yourself very carefully.

Beryl Griffiths

Guto Gruffydd Jones a'i ferched, Shannon a Lily; fferm Blaen Bowy, Capel Iwan.

Guto Gruffydd Jones and his daughters, Shannon and Lily; Blaen Bowy farm, Capel Iwan.

(Llun gan / Photo by Gareth Phillips)

16
CAPEL IWAN

Ar ôl gweld y difrod i'r *Cofiwch Dryweryn* gwreiddiol a gweld ambell un arall yn cael ei beintio, penderfynes fy mod i'n mynd i beintio un, ond ble? Dihuno tua 2 y bore i siecio ar fuwch o'dd ar fin mynd i loia, ond dim byd i'w weld, felly yn ôl i'r gwely. Methu cysgu wedyn yn hel meddyliau. Ble alla i beintio *Cofiwch Dryweryn*? Wal bont ar y ffordd i Tanglwst falle? Ar y graig ar y ffordd i Gaerfyrddin? Na, mae rhywun wedi peintio 'Jesus Saves' fan yna! Wedyn bingo! Brên wêf! Yr hen stand llaeth pen hewl.

Diwrnod nesaf, co ni off i Aberteifi i hôl paent *signal red*! Do'dd dim posib gweld y stand llaeth achos y tyfiant ac ro'n i bach yn bryderus shwt gyflwr oedd y wal i beintio arni. Gyda help fy merched, Shannon a Lily, fe glirion ni'r iorwg ac ro'dd y wal yn gwd. Dyma beintio'r wal gyda sement gwyn ac mewn cwpwl o ddiwrnodau, peintio *Cofiwch Dryweryn* yn steil Meic Stephens. A nawr, mae'r fuwch wedi cael llo a wy'n cysgu'n well!

Guto Gruffydd Jones

After seeing the destruction of the original *Cofiwch Dryweryn* and other ones being painted, I decided I was going to paint one, but where? I woke up at 2 a.m. to check a cow about to calve, but no sign, so I returned to bed. I couldn't sleep, thinking, where can I paint *Cofiwch Dryweryn*? The bridge wall on the road to Tanglwst perhaps? On the rock on the way to Carmarthen? No, someone has painted 'Jesus Saves' there! Then bingo! Brainwave! The old milk stand at the end of our road.

Next day, off we went to Cardigan to buy signal red paint! You couldn't see the milk stand because of the growth and I was slightly worried about the condition of the wall. With the help of my daughters, Shannon and Lily, we cleared the ivy and the wall was good. We painted the wall with white cement and within a few days, we painted *Cofiwch Dryweryn* in Meic Stephens' style. And now, the calf has been delivered and I'm sleeping much better!

Guto Gruffydd Jones

(Llun gan / Photo by Llion Gerallt)

17
YR A5 GER LLANGOLLEN
THE A5 NEAR LLANGOLLEN

Mae'r *Cofiwch Dryweryn* yma ar yr A5, ddim yn bell o Langollen, rhwng Caffi'r Tollborth a Gwesty'r Bont Gadwyni, ger yr afon Dyfrdwy. Dwi wedi bod yn tynnu lluniau o'r murluniau lle bynnag dwi'n mynd ac roedd hwn yn un i'r casgliad, fel llyfrau 'I-Spy'! Mae rhai, fel yr un yma, wedi rhoi sialens greadigol i fi ac ambell un wedi bod yn swreal, er enghraifft pan oeddwn i ar fy ffordd i Aberaeron, a chael tynnu llun y murlun oedd yn cael ei warchod gan *Storm Troopers* o *Star Wars*!

Dwi wrth fy modd gyda graffiti a dwi wedi gorfod cwestiynu pam bod gwaith graffiti o ddegawdau yn ôl yn gallu corddi rhai pobl hyd heddiw, ddigon i geisio ei anharddu neu ei ddinistrio? Beth ydan ni 'di gwneud i haeddu'r fath atgasedd?

Mae'r gwrthddiwylliant newydd sydd wedi datblygu yn hanes y murlun yn rhoi gobaith bod yna ysbryd o wrthryfela diwylliannol o hyd yng Nghymru.

Llion Gerallt

This *Cofiwch Dryweryn* is on the A5, not far from Llangollen, between the Tollbooth Café and the Chainbridge Hotel, near the Dee river. I have been taking pictures of the murals wherever I go and this was one for the collection, like 'I-Spy' books! Some, like this one, have given me a creative challenge, and some have been surreal, for example when I was on my way to Aberaeron, and took a picture of the mural being safeguarded by *Storm Troopers* from *Star Wars*!

I love graffiti and have had to question, how has a graffiti from decades ago managed to incite such anger in some people today, enough to deface and destroy it? What have we done to deserve such hatred?

The new sub-culture that has developed in the mural's history has given hope that there is still a spirit of cultural rebellion in Wales.

Llion Gerallt

(Llun gan / Photo by Haydn, Keith, Llŷr)

18
MYNYDD LLANGYNDEYRN

Tri hynafgwr (yr hynaf yn 80 oed) fu wrthi'n addurno lloches fysiau Garn Ganol a saif ar Sgwâr y Mynydd ar gomin Mynydd Llangyndeyrn – sydd rhwng Crwbin a Bancffosfelen ar y grib rhwng Cwm Gwendraeth Fach a Chwm Gwendraeth Fawr. Ymhen rhyw wythnos, ychwanegodd pobl Llangyndeyrn (y pentref nesaf) y llechen, i gofio am y fuddugoliaeth fawr yng Nghwm Gwendraeth Fach yn ystod yr un cyfnod â brwydr Tryweryn. Er eu prinned, mae'n hollbwysig ein bod yn cofio, ac yn dathlu, ein buddugoliaethau hefyd.

Haydn, Keith, Llŷr

It was three senior citizens (the oldest, 80 years old) who adorned the Garn Ganol bus shelter, which stands on Mynydd Llangyndeyrn common – which is located between Crwbin and Bancffosfelen on the ridge between the valleys of the Gwendraeth Fach and the Gwendraeth Fawr. Within a week or so, the people of Llangyndeyrn (the neighbouring village) added the slate, to remember the great victory in the Gwendraeth Fach valley during the same period as the battle to save Tryweryn. Although scarce, it's vital that we remember, and celebrate, our victories as well.

Haydn, Keith, Llŷr

Carla Louise Rylands, Mia Guest, Rhys Williams.

(Llun gan / Photo by Delyth Rogers)

19
YSGOL CROES ATTI, Y FFLINT

Dyma lun o'n murlun ni yn Ysgol Croes Atti yn Y Fflint. Rydyn ni wedi bod yn darllen y nofel *Ta-Ta Tryweryn* fel rhan o'n thema 1960au. Trefnon ni brotest gyda baneri a phosteri ac ysgrifennu llythyrau ffurfiol i Gyngor Lerpwl i gwyno.

Yna, yn fwy diweddar, fel rhan o'n 'Wythnos Cymru Cŵl', mi fuon ni'n dylunio sloganau newydd ar fuarth yr ysgol gyda sialc. I orffen y prosiect, mi beintion ni'r murlun ar wal yr ysgol fel bod pawb yn trafod a chofio'r hanes. Daeth *Ffeil* i ffilmio'r plant yn peintio a thrafod, ac yna, mi sgwrsion ni am yr hanes ar *Taro'r Post* ar Radio Cymru gyda Garry Owen.

Delyth Rogers (Athrawes)

This is a picture of our mural in Ysgol Croes Atti in Flint. We have been reading the novel *Ta-Ta Tryweryn* as part of our theme on the 1960s. We staged a protest with flags and posters and we wrote formal letters of complaint to Liverpool Council.

Then, more recently, as part of our 'Cool Cymru Week', we designed new slogans on the school yard in chalk. To complete the project, we painted the mural on the school's wall so that everyone can discuss and remember the story. *Ffeil* came to the school to film the children painting and discussing the history, and then we contributed to the *Taro'r Post* programme on Radio Cymru with Garry Owen.

Delyth Rogers (Teacher)

(Llun gan / Photo by James Harrison)

20
Y TRALLWNG
WELSHPOOL

Gwelir y murlun ar ysgubor fach yn ardal fechan Felindre, ger pentref Aberriw, Y Trallwng. Unwaith y torrodd y newyddion bod yr un gwreiddiol wedi ei ddifetha, fe'n hysbrydolwyd i gychwyn meddwl am gael un yn ein hardal ni.

Penderfynais beintio'r murlun er mwyn rhoi teimlad cenedlaetholgar i'r ardal ym Mhowys. Roedd hyn yn ymgais i godi ymwybyddiaeth i gefndir y digwyddiad yn y 1960au. Derbyniwyd cymorth James Harrison a hefyd ein cymdogion, Matthew Wood a Claudia Van Mulders, a gynorthwyodd i fraslunio'r murlun.

Gobeithiaf yn fawr iawn fod neges yr holl furluniau ledled Cymru'n glir ac y gwelwn newid yn agwedd Llywodraeth Llafur Cymru at werthfawrogiad hanes ein gwlad.

Cawsom lawer o hwyl wrth beintio'r murlun. Roedden ni'n gwrando ar drac 'Yma o Hyd' gan Dafydd Iwan ac fe ysgogodd hynny'r teimlad o falchder Cymraeg.

Karen Griffiths

The mural is to be found on a small barn in the little hamlet of Felindre, near the village of Berriew, Welshpool. Once the news broke that the original had been damaged, we were inspired to start thinking about having one in our area.

I decided to paint the mural to give a feeling of nationalism to the area in Powys. It was an attempt to raise awareness of the background in the 1960s. James Harrison helped, as did our neighbours, Matthew Wood and Claudia Van Mulders who assisted with sketching the mural.

I very much hope that the message of all these murals across Wales is clear and that we'll see a change in attitude by the Welsh Labour Government towards the appreciation of our history.

We had fun painting the mural. We listened to a track of 'Yma o Hyd' by Dafydd Iwan, which intensified the feeling of Welsh pride.

Karen Griffiths

(Llun gan / Photo by Damien Rosser)

21
TRAETH ABERTAWE
SWANSEA BEACH

Yn Abertawe, mae yna o leiaf dri murlun. Mae'n wych bod pobl wedi peintio'r murluniau hyn yn Abertawe ac yn rhan o'r ffenomenon cenedlaethol hwn. Mae'r un ar draeth Abertawe yn arbennig o unigryw ac wedi datblygu'n dirnod ger canol y ddinas. Penderfynodd grŵp lleol *Yes Cymru* gynnal parti traeth yma ddechrau Awst!

Mae mudiad *Cofiwch Dryweryn* wedi torri'r rhwystrau rhwng y siaradwyr Cymraeg a'r di-Gymraeg; y rhai oedd ddim yn gwybod y stori a'i pherthnasedd a'r rhai oedd yn gyfarwydd â hi. Mae hi wedi dod yn rhan o'n hanes ni i gyd ac yn ffenomenon y gallwn ei rannu rhwng pawb yng Nghymru a thu hwnt. Mae cynyddu ymwybyddiaeth o'n hanes yn golygu ein bod yn tyfu mewn hyder fel cenedl, sy'n elfen mor gadarnhaol ar y llwybr i annibyniaeth i Gymru.

Tricia Roberts

(Wrth i'r gyfrol hon fynd i'r wasg, bu 'Tîm Dileu Graffiti' Cyngor Abertawe yn peintio dros y murlun.)

In Swansea, there are at least three murals. It's wonderful that people have painted these murals in Swansea and are part of this nationwide phenomenon. The one on Swansea beach is particularly unique and has become a landmark near the city centre. As a local *Yes Cymru* group, we decided to hold a beach party here at the beginning of August!

The *Cofiwch Dryweryn* movement has broken the barriers between Welsh and non Welsh speakers; from those who didn't know the story and relevance to those that did. It has become a shared history and a shared phenomenon for all living in Wales and beyond. Increasing awareness of our history means that we gain confidence as a nation, which is such a positive element in the path to Welsh independence.

Tricia Roberts

(As this book goes to print, Swansea Council's 'Graffiti Removal Team' painted over the mural.)

Rhun ap Iorwerth, Aelod Cynulliad Plaid Cymru Ynys Môn, gyda Margaret Roberts, un o wirfoddolwyr y fenter, o flaen y murlun y tu mewn i'r bar allanol.

Rhun ap Iorwerth, Plaid Cymru Assembly Member for Ynys Môn, with Margaret Roberts, one of the venture's volunteers, in front of the mural inside the exterior bar.

(Llun gan / Photo by Nev Evans)

22

TAFARN GYMUNEDOL YR IORWERTH ARMS, BRYNGWRAN
IORWERTH ARMS COMMUNITY PUB, BRYNGWRAN

Tynnwyd y llun ar achlysur ein Diwrnod Hwyl blynyddol ddechrau Mehefin. Phil Blake, un o'n gwirfoddolwyr selocaf yn y dafarn, beintiodd y murlun.

Pan oeddem yn sefydlu ein bar allanol, awgrymodd rhai aelodau o'n pwyllgor i ni beintio murlun *Cofiwch Dryweryn* er parch a choffadwriaeth i Gwm Tryweryn. Un o'r rhesymau eraill am wneud hynny oedd bod rhai ohonom yn gweld rhywfaint o debygrwydd rhwng y frwydr i achub Capel Celyn a'n brwydr ni fel cymuned go Gymreigaidd ym Môn. Mae ein holl siopau wedi mynd, ac roedden ni'n benderfynol o achub ein hunig dŷ tafarn, sef adnodd olaf y pentref, a hynny er mwyn parhad ein cymuned.

Neville Evans

The photograph was taken on the occasion of our annual Fun Day at the beginning of June. Phil Blake, one of our most ardent volunteers in the pub, painted the mural.

When we set up our exterior bar, some of our committee members suggested that we painted a *Cofiwch Dryweryn* mural as a mark of respect and remembrance to the Tryweryn valley. One of the other reasons for doing so was that we saw some parallels between the struggle to save Capel Celyn and our battle as a Welsh speaking community in Anglesey. All our shops have gone, and we were determined to save our only pub, one of the village's last resources, for the sake of the continuation of our community.

Neville Evans

Geraint Løvgreen a'r Enw Da yn recordio yn Stiwdio Sain.

Geraint Løvgreen a'r Enw Da recording at Stiwdio Sain.

(Llun gan / Photo by Gwilym John)

23
STIWDIO SAIN, LLANDWROG

Dyma rai o'r band y tu allan i un o adeiladau pwysicaf Cymru o safbwynt ein cerddoriaeth a'n diwylliant cyfoes, sef Stiwdio Sain, cartref y cwmni recordiau eiconig a sefydlwyd ym merw chwyldro iaith y 1960au. Nid ar label Sain y cyhoeddodd Meic Stevens ei EP Cymraeg cyntaf yn 1968 (dan yr enw Mike Stevens), ond ar y record honno roedd y gân brotest 'Tryweryn' – clasur o anthem dawel sydd i'w chlywed bellach ar sawl CD gan Sain.

Mae 'na gân brotest arall am Dryweryn sydd hithau wedi tyfu'n glasur modern, ac sy'n crynhoi naws wrthryfelgar yr oes mewn arddull dipyn mwy tanbaid. 'Dyma lle llofruddiwyd enaid bro, gan ddŵr' ydi'r gri angerddol yng nghân Huw Jones, 'Dŵr', ar y record gyntaf un i Sain ei chyhoeddi hanner can mlynedd yn ôl. Mae'r ddwy gân wedi para, ac yn fyw o hyd, yn union fel y cof am Dryweryn.

Geraint Løvgreen

Here are some of the band, outside one of the most important buildings as regards our music and contemporary culture: Stiwdio Sain, home to the iconic recording company, established during the 1960s turbulent language revolution. It wasn't on the Sain label that Meic Stevens (under the name Mike Stevens) recorded his first Welsh EP in 1968, but it was on that EP that he recorded the protest song 'Tryweryn' – a classic quiet anthem, which can now be heard on many of Sain's CDs.

There is another protest song about Tryweryn, which has developed into a modern classic, and which epitomizes the spirit of resistance of that era in a much more fiery style. 'This is where the soul of a land was slaughtered, by water' is the passionate cry in Huw Jones' song, 'Dŵr', on the very first record Sain published half a century ago. Both songs have survived, and are still very much alive, exactly like the memory of Tryweryn.

Geraint Løvgreen

(Llun gan / Photo by Daniel Williams)

24
MYNWY
MONMOUTH

Dyma fy murlun i. Mae o ar fricsen wrth giât fy ngardd ym Mynwy. Fe ymwelais â'r murlun gwreiddiol am y tro cyntaf rai blynyddoedd yn ôl, yn fuan wedi i arysgrif Aberfan gael ei hychwanegu. Dwi wedi bod yn ymwybodol o foddi Capel Celyn ers sawl blwyddyn a theimlais reidrwydd, fel Cymro, i wneud rhyw fath o bererindod i'r murlun gwreiddiol. Dwi ddim yn meddwl y gallai'r fandaliaid, wnaeth drio difetha'r symbol hwn o'r ymgais at hil-laddiad diwylliannol, fyth fod wedi disgwyl maint yr ymwybyddiaeth a godwyd yn sgil eu gweithred.

Mae'n ymddangos fod y sbarc gwladgarol wedi ei gynnau unwaith eto. Gorau po hiraf y bydd y momentwm hwn yn para.

Cymru am Byth!

Daniel Williams

This is my mural. It's on a brick by my garden gate in Monmouth. I first visited the original mural a couple of years ago, shortly after the Aberfan inscription was added. I have been aware of the flooding of Capel Celyn for a number of years and was compelled, as a Welshman, to make a sort of pilgrimage to the original mural. I don't think the vandals that attempted to destroy this symbol of attempted cultural genocide could have anticipated the amount of awareness their actions have generated.

It seems the patriotic spark has well and truly been ignited once more. Long may the momentum continue.

Cymru am Byth!

Daniel Williams

(Llun gan / Photo by Clwb y Ddôl)

25
LLANBRYNMAIR

Doedd Gŵyl Banc gyntaf Mai ddim yn adeg ddelfrydol i fynd liw nos at bont frics Llanbrynmair i beintio *Cofiwch Dryweryn* yr ochr yma a *Cymru Rydd* yr ochr draw. Y rheswm am hynny oedd bod yna draffig trwm, pobol canolbarth Lloegr yn mynd yn un haid am lan y môr. Fe sychodd y sbrê coch yn o sydyn a dyma'r llythrennau yn cael eu peintio wedyn, ond bob yn ail lythyren roedd yn rhaid i ni fynd i gyrcydu i'r llwyni a gadael i'r carafanau fynd heibio. Gobeithiem na fyddai neb yn mynd â thrwyn ei gar ar ei ben i'r bont fel gwnaeth Lloyd George ers talwm, ond y byddai pawb, wrth ddychwelyd adre nos Lun, yn gorfod arafu i sylwi ar y neges goch a sylweddoli iddyn nhw dreulio eu penwythnos mewn gwlad wahanol, gwlad ag iddi ei hanes a'i hiaith ei hun.

Clwb y Ddôl

The first May Bank Holiday wasn't the ideal time to go in the dark of night to the old brick bridge, Llanbrynmair, to paint *Cofiwch Dryweryn* on one side and *Cymru Rydd* on the other. The reason being that there was heavy traffic with people from the Midlands heading in one swarm towards the seaside. The red spray dried quite quickly and then the lettering started, but with every other letter we had to crouch in the bushes to let the caravans pass by. We hoped that nobody would go head first into the bridge as Lloyd George did many moons ago, and that everyone, when returning on Monday evening, would be compelled to slow down to notice the red message and to realise that they had spent their weekend in a different country, a country with its own history and its own language.

Clwb y Ddôl

Marcela Mellado o'r Gaiman, Ann-Marie, Romina Herrera Evans (athrawes Ysgol yr Hendre, Trelew) a Katie Pritchard (cyn-athrawes yn Ysgol yr Hendre).

Marcela Mellado from Gaiman, Ann-Marie, Romina Herrera Evans (teacher at Ysgol yr Hendre, Trelew) and Katie Pritchard (former teacher at Ysgol yr Hendre).

(Llun gan / Photo by Claudia Saiegg)

26
LLANGRANNOG

Fis Mai eleni, fe laniodd mintai fach yng Nghymru – disgyblion blwyddyn 6 a 7, rhieni ac un athrawes o Ysgol yr Hendre, Trelew. Dyma oedd taith diwedd blwyddyn y disgyblion ac roeddent wrth eu boddau yn cyrraedd yr Hen Wlad ar gyfer Eisteddfod yr Urdd.

Treuliodd y criw hyfryd yma bedair noson hefyd yng Ngwersyll yr Urdd, Llangrannog. Lawr â ni am dro un pnawn i'r pentref ac fe welom furlun *Cofiwch Dryweryn*, a thynnu llun wrth gwrs – *recuerdo* i gofio am yr achlysur, ac i gofio hefyd pam y gadawodd y fintai gyntaf Gymru er mwyn teithio dros y môr i Batagonia yn 1865.

Ann-Marie Lewis

In May this year, a small party landed in Wales – years 6 and 7 pupils, their parents and one teacher from Ysgol yr Hendre, Trelew. This was the last excursion of the year for the pupils and they were delighted to land in Wales in time for Eisteddfod yr Urdd.

This lovely company of people also spent four nights in Gwersyll yr Urdd, Llangrannog. Down we went for a walk one afternoon to the village and we saw the *Cofiwch Dryweryn* mural, and of course we had to have our photographs taken – *recuerdo* to note the occasion, and to also remember why the first troop from Wales left to travel across the seas to Patagonia in 1865.

Ann-Marie Lewis

Owain Williams gyda rhai o ddisgyblion Ysgol Pentreuchaf.

Owain Williams with some of the pupils from Ysgol Pentreuchaf.

(Llun gan / Photo by Sophie Underwood)

27
YSGOL PENTREUCHAF

Roedd fy nisgyblion yn awyddus i beintio eu murlun eu hunain fel cefnogaeth ar ôl clywed hanes y murlun gwreiddiol. Gan fod gennyf 31 o blant yn fy nosbarth fe'm brawychwyd fod adeilad yr un iddyn nhw eu henwi yn eu cyflwyniad am foddi'r Cwm. Rhywbeth dirdynnol wnaiff aros hefo fi a nhw am byth.

Einir Humphreys, Athrawes, Ysgol Pentreuchaf

Mae Tryweryn yng Nghymru, ein gwlad ni ac mae'n bwysig cofio am y plant oedd yn Ysgol Celyn – doeddan nhw'n ddim gwahanol i ni.

Nel Gwilym Hughes, Blwyddyn 4

Gan fod Mr Owain Williams yn rhan o stori Tryweryn roedd yn golygu llawer i ni iddo ddod yma i ddysgu mwy i ni am ei ymgais i geisio achub cwm mor hyfryd – Cwm Celyn.

Efa Fflur Williams, Blwyddyn 4

My pupils were eager to paint their own mural in support of the original one. As I have 31 children in my class, I was astonished to find that there was a building each for them to name in their presentation about the drowning of the valley. This will stay with me and them for ever.

Einir Humphreys, Teacher, Ysgol Pentreuchaf

Tryweryn is in Wales, our country, and it is important that we remember the children who were in Ysgol Celyn – they weren't any different from us.

Nel Gwilym Hughes, Year 4

As Mr Owain Williams is part of the Tryweryn story, it meant a lot to us that he came here to teach us more about the effort to try to save a valley as beautiful as Cwm Celyn.

Efa Fflur Williams, Year 4

Sara James, Aled Lloyd-Biston & Daniel O'Callaghan.

(Llun gan / Photo by Samantha Jones)

28
CROSS HANDS

Rydym yn fyfyrwyr ym Mhrifysgol Caerdydd yn astudio'r Gymraeg. Fe benderfynom ni beintio'r murlun gan ein bod ni eisiau dangos nad yw'r genhedlaeth bresennol wedi anghofio hanes ein gwlad, yn enwedig digwyddiad mor bwysig. Roeddem hefyd eisiau codi ymwybyddiaeth am y digwyddiad yn ein hardal leol. Roeddem eisiau ychwanegu at y llu o furluniau a beintiwyd dros Gymru gyfan, mewn ymateb i'r newyddion pan chwalwyd y wal wreiddiol ger Aberystwyth. Dewisom beintio'r murlun ar ochr siop leol yn Cross Hands, Sir Gaerfyrddin, ac mae'r ymateb iddo wedi bod yn wych. Wrth beintio'r murlun roedd nifer yn cerdded ac yn gyrru heibio yn dangos cefnogaeth. Gwelwyd nifer o bobl yn rhannu llun o'r murlun ar wefannau cymdeithasol, a'r grŵp dros annibyniaeth i Gymru, *Yes Cymru*, yn rhannu'r llun ar Twitter. Ni yw'r genhedlaeth sydd am weld newid yng Nghymru'r dyfodol, ac fe wnawn ni'r newid hynny.

Aled Biston

We are students at Cardiff University studying Welsh. We decided to paint the mural because we wanted to demonstrate that the present generation hasn't forgotten the history of its country, especially such an important event. We also wanted to raise awareness about the story in our local area. We wanted to add to the numerous murals already painted across Wales, in response to the news when the original wall was demolished near Aberystwyth. We decided to paint the mural on the side of a local shop in Cross Hands, Carmarthenshire, and the response has been brilliant. Whilst painting the mural, many people walking or driving past showed their support. People shared the picture of the mural on social media, and the *Yes Cymru* group shared the picture on Twitter. We are the generation who want to see change in the Wales of the future, and we will make that change.

Aled Biston

(Llun gan / Photo by Martin Humphreys)

29

LLWYBR MAWDDACH GER DOLGELLAU
MAWDDACH TRAIL NEAR DOLGELLAU

Wrth bysgota ar afon Wnion, gwelais y murlun yma ar hen bont rheilffordd. Dwi wedi bod yn dilyn *Cofiwch Dryweryn* ar y cyfryngau cymdeithasol. Mae'n symudiad da sy'n adlewyrchu'r anniddigrwydd cynyddol tuag at lywodraeth ganolog San Steffan.

Mae Cymru wedi'i thanseilio'n economaidd. Fel adeiladwr lleol, dwi'n gweld bod nifer y tai gwyliau a'r ail gartrefi wedi mynd dros ben llestri. Gwelwn ieuenctid ein cymunedau bychain yn symud i ffwrdd. Dydi'r swyddi ddim yn talu digon i bobl fedru fforddio morgais. Mae pobl yn anobeithio.

Golyga effeithiau Brexit mai Cymru fydd yn dioddef fwyaf gan ein bod yn derbyn gymaint o gymorthdaliadau'r Undeb Ewropeaidd. Mae *Cofiwch Dryweryn* yn annog y Cymry i ddod at ei gilydd. Os caiff yr Alban ail refferendwm annibyniaeth a gadael y Deyrnas Unedig, dwi'n credu y gwnaiff pobl Cymru hefyd. Mae gan Gymru'r potensial i fod yn fwy na threfedigaeth egni i Loegr. Ni fyddwn yn gaethweision San Steffan mwyach. Cymru Rydd!

Martin Humphreys

Whilst fishing on the Afon Wnion, I saw this mural on the disused railway bridge. I've been following the *Cofiwch Dryweryn* movement on social media. It's a good movement, reflecting the growing resentment towards central government in Westminster.

Wales has been economically sabotaged. As a local builder, the amount of holiday lets and second homes is getting out of hand. We see the youth in our small communities moving away. Jobs don't pay people enough to afford a mortgage. People are losing hope.

The effects of Brexit means Wales will be the biggest loser as we are given so much in EU subsidies. *Cofiwch Dryweryn* is galvanising the people of Wales together. If Scotland have a second independence referendum and leave the UK, I believe the people of Wales will too. Wales has the potential to be more than an energy colony to England. We are no longer slaves to Westminster. Free Wales!

Martin Humphreys

Iolo, Osian, Nel, Carys, Lois, Jacob, Gwion, Nedw, Llŷr.

(Llun gan / Photo by Leri Hallam)

30
Y FELINHELI

Dwi'n credu mai Iolo ddwedodd, "Da ni angen peintio wal yn Felin.' Doedd dim angen iddo ddweud peintio beth! Roedden ni, fel pawb arall, wedi gweld y murluniau yn mynd lan dros y wlad. Roedd pa wal i'w pheintio yn fwy o gwestiwn! Dyma drafod, a deall mai wal breifat oedd y wal garreg hir yng nghanol y pentref – yn eiddo i'r rhes tai uwch ei phen. Codi ffôn ar ddau o'r cartrefi hynny i weld a fydden nhw'n hapus i ni addurno eu darn nhw o'r wal! 'Wrth gwrs!' oedd yr ymateb. Felly dyma fenthyg (dwyn) paent gan adeiladwr o ffrind (diolch, Dyl!) a mynd ati i beintio'r ddau air eiconig.

Digon syml. Ein murlun bach lleol ni. Un darn yn y darlun mawr a bendigedig sy'n talu teyrnged i graffiti Meic Stephens. Ond yn bwysicach na dim yn ein hatgoffa i gofio Tryweryn.

Gwion Hallam

I think it was Iolo who said, 'We need to paint a wall in Felin.' He didn't need to say what to paint! We like everyone else had seen the murals going up all over the country. We discussed the matter and realised that the long stone wall in the middle of the village was a private wall – belonging to the row of houses above it. We phoned two of those homes to see if they would be happy for us to paint their bit of the wall. 'Of course!' was the response. So we borrowed (stole) paint from a builder friend of ours (thanks, Dyl!) and started painting the two iconic words.

Simple enough. Our small local mural. One part of the big and glorious picture in homage to Meic Stephens' graffiti. But more important than anything, reminding us to remember Tryweryn.

Gwion Hallam

Sienna Dibble, Blwyddyn 5 / Year 5.

(Llun gan / Photo by Nerys Griffiths Jones)

31
YSGOL GYMRAEG CWMBRÂN

Un o'r staff gynigiodd y byddai'n syniad da i greu murlun yn ein hysgol wedi gweld bod yna fwrlwm ynghylch yr hyn ddigwyddodd i'r murlun gwreiddiol ger Aberystwyth. Penderfynwyd mynd ati i beintio er mwyn i'r disgyblion, ac wrth gwrs y rhieni a'r gymdeithas, gael eu hatgoffa o hanes boddi Capel Celyn. Mae llawer o rieni'n dal i ofyn am arwyddocâd y murlun pan maent yn dod i'r iard, ac mae'n bleser eu haddysgu am y digwyddiad hwn.

Bu'r staff ac ambell ddisgybl yn rhan o'r gwaith celf ym mis Mai ac roedd hi'n fraint gweld gweddill y disgyblion yn ymfalchïo yn y gwaith creadigol hwn wrth iddynt ddod i chwarae ar yr iard. Yn dilyn y prosiect hwn, bu'r disgyblion yn gwneud gwaith wedi ei selio ar ddigwyddiad boddi Cwm Tryweryn yn y dosbarthiadau. Mae'r murlun yn rhywbeth arbennig i ni yma yn Ysgol Gymraeg Cwmbrân ac mi fydd yno am amser hir iawn!

Nerys Griffiths Jones

It was a member of staff who suggested it would be a good idea to create a mural in our school after seeing the ripple effect of the events surrounding the original mural near Aberystwyth. It was decided that we would go ahead to paint so that our pupils, and of course the parents and the community, could be reminded of the history of the drowning of Capel Celyn. Many of the parents continue to ask about the significance of the mural when they come to the school yard, and it is a pleasure to educate them on the matter.

Staff and pupils were involved in the artwork in May and it was a privilege to see the rest of the pupils taking pride in this creative work as they came to play on the yard. Following this project, the pupils undertook work based on the events of the drowning of the Tryweryn valley. The mural is something quite special for us in Ysgol Gymraeg Cwmbrân and it will be there for a very long time!

Nerys Griffiths Jones

(Llun gan / Photo by Mari Emlyn)

32
UWCH BEN RHYD-Y-FEN, LLYN CELYN
ABOVE RHYD-Y-FEN, LLYN CELYN

Mae'r geiriau *Cofiwch Dryweryn* yn coffáu cyfnod arwyddocaol yn ein hanes cenedlaethol; ond i mi, maen nhw hefyd yn hollbwysig fel rhan o'm hanes lleol. Mynychwyd Ysgol Celyn a'r Capel gan aelodau'r teulu ers cenedlaethau. Roedd dwy fodryb i mi ymhlith disgyblion olaf yr ysgol. Mae fy nghartref daflad carreg o Lyn Celyn. Capel Celyn oedd ein cymuned. Prynwyd ein fferm gan Gyngor Lerpwl yn yr un modd â'r deuddeg a foddwyd. Ond prynwyd Rhyd-y-Fen yn benodol er mwyn cyflenwi deunyddiau ychwanegol i adeiladu'r argae. Adeiladwyd y Capel Coffa ar lan y llyn â cherrig o dir ein fferm.

Penderfynodd Mam a finnau beintio'r geiriau ar y graig gan nad oes yna furlun *Cofiwch Dryweryn* gerllaw'r gymuned y mae'n ei choffáu. Teimlem ei bod yn bwysig, wrth basio'r llyn, i atgoffa pobl bod cymuned a ffordd o fyw wedi ei chwalu er mwyn adeiladu'r gronfa.

Huw Jones (Gorwyr i John Anthony Jones, Rhyd-y-Fen: gwneuthurwr telynau oedd yn rhan o'r orymdaith ym mhrotestiadau Lerpwl yn 1956.)

The words *Cofiwch Dryweryn* commemorate a significant period in our nation's history; but for me they are important also as part of my local history. Ysgol Celyn and the Chapel were attended by members of my family for generations. Two of my aunts were among the last pupils of the school. My home is a stone's throw from Llyn Celyn. Capel Celyn was our community. Our farm was purchased by Liverpool Council in the same way as the other twelve farms that were drowned. But Rhyd-y-Fen was purchased specifically to supply additional material for building the reservoir. The Memorial Chapel at the lakeside was built with stones from our farm.

Mam and I decided to paint the words on the rock as there isn't a *Cofiwch Dryweryn* mural near the community it commemorates. We felt it was important to remind people, as they pass the lake, of the destruction of a community and way of life in order to build the reservoir.

Huw Jones (Great-grandson of John Anthony Jones, Rhyd-y-Fen: a harp maker who was part of the procession in the Liverpool protests of 1956.)

Mae'r gofeb sydd ar y clawr cefn mewn cornel fach dawel o'n gardd ni yn yr Eglwys Newydd yng Nghaerdydd. Fe'i peintiwyd ar ddydd Gwener y Groglith 2019 gan Glain, Meredydd a Myfi Ifan, gyda help Mam! Bydd y murlun yn ein hatgoffa ni o'r hyn ddigwyddodd yng Nghapel Celyn a'r plant bach y bu'n rhaid iddynt adael eu cartrefi a symud i ysgolion eraill er mwyn creu cronfa i ddarparu dŵr i Lerpwl.

The memorial on the back cover, is in a quiet part of our garden in Whitchurch, Cardiff. It was painted by Glain, Meredydd and Myfi Ifan on Good Friday 2019 with Mam's help! The mural will remind us of what happened in Capel Celyn and the young children who had to leave their homes and move to other schools in order to create a reservoir to supply water for Liverpool.

Bethan Griffiths